Schritte

international NEU 1+2

Niveau A1

Deutsch als Fremdsprache
Kursbuch

Daniela Niebisch
Sylvette Penning-Hlemstra
Franz Specht

Hueber Verlag

Beratung:
Oliver Bayerlein, Nagoya-shi
Ádám Kovács-Gombos, Budapest
Christian Roll, Lima
Helga Lucía Valdraf, Monterrey

Fotoproduktion:
Darsteller: Constanze Fennel, Gerhard Herzberger, Philip Krause,
Mirjam Luttenberger, Paula Miessen u. a.
Fotograf: Matthias Kraus, München

3.   2.   1.   Die letzten Ziffern
2021 20 19 18 17 bezeichnen Zahl und Jahr des Druckes.
Alle Drucke dieser Auflage können, da unverändert,
nebeneinander benutzt werden.
1. Auflage
© 2017 Hueber Verlag GmbH & Co. KG, München, Deutschland
Umschlaggestaltung: Sieveking · Agentur für Kommunikation, München
Zeichnungen: Jörg Saupe, Düsseldorf
Gestaltung und Satz: Sieveking · Agentur für Kommunikation, München
Druck und Bindung: Firmengruppe APPL, aprinta druck GmbH, Wemding
Printed in Germany
ISBN 978–3–19–101082–9

Aufbau

Symbole und Piktogramme

Kursbuch

1 🔊 8   Hörtext

🎬   Film

🔁   Aktivität im Kurs

📱   Einsatz mobiler Geräte (fakultativ)

ÜG   Verweis auf Schritte Neu Grammatik (ISBN 978-3-19-011081-0)

Grammatik:

Haben wir Zucker?	Ja.
	Nein.

Hinweis:

am Samstag + am Sonntag = am Wochenende

Kommunikation:

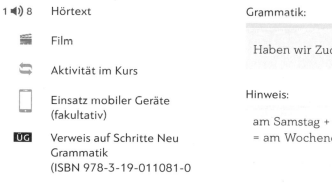

Audios und Videos zum Einschleifen und Üben der Redemittel:

Inhaltsverzeichnis **Kursbuch**

D	E	Wortfelder	Grammatik
Buchstaben · Alphabet · Telefongespräch: nach jemandem fragen	**Adresse** · Visitenkarten lesen · Formular ausfüllen	· Begrüßung und Abschied · Personalien · Länder · Sprachen	· Aussage: *Ich bin Lara.* · W-Frage: *Wie heißen Sie?* · Personalpronomen: *ich, du, Sie* · Verbkonjugation: *heißen, kommen, sprechen, sein* · Präposition: *aus*
Zahlen und Personalien · bis 20 zählen · Interview: Fragen zur eigenen Person beantworten · Formular ausfüllen	**Deutschsprachige Länder** · einfache Informationen verstehen	· Familie · Personalien	· Possessivartikel: *mein/meine, dein/deine, Ihr/Ihre* · Personalpronomen: *er/sie, wir, ihr, sie* · Verbkonjugation: *leben, heißen, sprechen, haben, sein* · Präposition: *in*
Preise und Mengenangaben · Preise und Mengenangaben nennen und verstehen · einen Prospekt verstehen	**Mein Lieblingsessen** · Gespräche beim Essen verstehen · über das Lieblingsessen berichten · ein einfaches Rezept lesen	· Lebensmittel · Mengenangaben · Preise	· indefiniter Artikel: *ein, eine* · Negativartikel: *kein, keine* · Plural: *Tomaten, Eier* · Ja-/Nein-Frage: *Haben Sie Eier?* · Nullartikel: *Haben wir Zucker?* · Verbkonjugation: *essen*
Wohnungsanzeigen · bis eine Million zählen · Wohnungsanzeigen relevante Informationen entnehmen	**Mein Schreibtisch ist …** · einen Text über Möbel lesen · Möbel beschreiben	· Farben · Haus/Wohnung · Einrichtung (Möbel, Elektrogeräte) · Wohnungsanzeigen	· definiter Artikel: *der, das, die* · lokale Adverbien: *hier, dort* · prädikatives Adjektiv: *Das Zimmer ist teuer.* · Personalpronomen: *er, es, sie* · Negation: *nicht* · Wortbildung Nomen: *der Schrank → der Kühlschrank*
Tageszeiten · Angaben zur Tageszeit verstehen und machen · über den Tagesablauf berichten	**Ein Tag in Berlin** · Schilder/Telefonansagen: Öffnungszeiten verstehen · eine Internetseite verstehen	· Uhrzeit · Wochentage · Öffnungszeiten · Aktivitäten	· trennbare Verben im Satz: *Lara steht früh auf.* · Verbkonjugation: *fernsehen, arbeiten, anfangen, schlafen* · Präpositionen: *am, um, von … bis* · Verbposition im Satz: *Robert macht am Nachmittag Sport.*
Freizeit und Hobbys · über Freizeitaktivitäten sprechen · ein Personenporträt verstehen	**Reiseland D-A-CH** · eine Reisebroschüre verstehen · Interviews über Hobbys verstehen	· Wetter und Klima · Himmelsrichtungen · Freizeitaktivitäten und Hobbys	· Akkusativ: *den Salat, einen Tee, keinen Saft* · Ja-/Nein-Frage und Antwort: *ja, nein, doch* · Verbkonjugation: *nehmen, lesen, treffen, fahren, „möchte"*
Ich bin heute in die Stadt gegangen. · über Aktivitäten in der Vergangenheit erzählen · Häufigkeit ausdrücken	**Eine Sprache lernen** · Tipps fürs Sprachenlernen · Wichtigkeit ausdrücken	· Freizeitaktivitäten · Weiterbildung · Lernstrategien	· Modalverben: *können, wollen* · Satzklammer: *Er kann nicht gut singen.* · Perfekt mit *haben*: *Walter hat gefrühstückt.* · Perfekt mit *sein*: *Ich bin in die Stadt gegangen.* · Perfekt im Satz: *Bist du schon mal 100 km Fahrrad gefahren?*

Inhaltsverzeichnis **Kursbuch**

Vorwort

Liebe Leserinnen, liebe Leser,

mit *Schritte international Neu* legen wir Ihnen ein komplett neu bearbeitetes Lehrwerk vor, mit dem wir das jahrelang bewährte und erprobte Konzept von *Schritte international* noch verbessern und erweitern konnten. Erfahrene Kursleiterinnen und Kursleiter haben uns bei der Neubearbeitung beraten, um *Schritte international Neu* zu einem noch passgenaueren Lehrwerk für die Erfordernisse Ihres Unterrichts zu machen. Wir geben Ihnen im Folgenden einen Überblick über Neues und Altbewährtes im Lehrwerk und wünschen Ihnen viel Freude in Ihrem Unterricht.

Schritte international Neu ...

- führt Lernende ohne Vorkenntnisse in 3 bzw. 6 Bänden zu den Sprachniveaus A1, A2 und B1.
- orientiert sich an den Vorgaben des Gemeinsamen Europäischen Referenzrahmens.
- bereitet gezielt auf die Prüfungen *Start Deutsch 1* (Stufe A1), *Start Deutsch 2* (Stufe A2), das *Goethe-Zertifikat* (Stufe A2 und B1) und das *Zertifikat Deutsch* (Stufe B1) vor.
- bereitet die Lernenden auf Alltag und Beruf vor.
- eignet sich besonders für den Unterricht mit heterogenen Lerngruppen.
- ermöglicht einen zeitgemäßen Unterricht mit vielen Angeboten zum fakultativen Medieneinsatz (verfügbar im Medienpaket sowie im Lehrwerkservice und abrufbar über die *Schritte international Neu*-App).

Der Aufbau von *Schritte international Neu*
Kursbuch
Lektionsaufbau:

- Einstiegsdoppelseite mit einer rundum neuen Foto-Hörgeschichte als thematischer und sprachlicher Rahmen der Lektion (verfügbar als Audio oder Slide-Show) sowie einem Film mit Alltagssituationen der Figuren aus der Foto-Hörgeschichte
- Lernschritte A–C: schrittweise Einführung des Stoffs in abgeschlossenen Einheiten mit einer klaren Struktur
- Lernschritte D+E: Trainieren der vier Fertigkeiten Hören, Lesen, Sprechen und Schreiben in

authentischen Alltagssituationen und systematische Erweiterung des Stoffs der Lernschritte A–C
- Übersichtsseite Grammatik und Kommunikation mit Möglichkeiten zum Festigen und Weiterlernen sowie zur aktiven Überprüfung und Automatisierung des gelernten Stoffs durch ein Audiotraining und ein Videotraining sowie eine Übersicht über die Lernziele
- eine Doppelseite „Zwischendurch mal ..." mit spannenden fakultativen Unterrichtsangeboten wie Filmen, Projekten, Spielen, Liedern etc. und vielen Möglichkeiten zur Binnendifferenzierung

Arbeitsbuch
Lektionsaufbau:

- abwechslungsreiche Übungen zu den Lernschritten A–E des Kursbuchs
- Übungsangebot in verschiedenen Schwierigkeitsgraden zum binnendifferenzierten Üben
- ein systematisches Phonetik-Training
- ein systematisches Schreibtraining
- Tipps zu Lern- und Arbeitstechniken
- Aufgaben zur Mehrsprachigkeit
- Aufgaben zum Selbstentdecken grammatischer Strukturen (Grammatik entdecken)
- Aufgaben zur Prüfungsvorbereitung
- Selbsttests am Ende jeder Lektion zur Kontrolle des eigenen Lernerfolgs der Teilnehmer
- fakultative berufsorientierte Fokusseiten

Anhang:
- Lernwortschatzseiten mit Lerntipps, Beispielsätzen und illustrierten Wortfeldern
- Grammatikübersicht

Außerdem finden Sie im Lehrwerkservice zu *Schritte international Neu* vielfältige Zusatzmaterialien für den Unterricht und zum Weiterlernen.

Viel Spaß beim Lehren und Lernen mit *Schritte international Neu* wünschen Ihnen

Autoren und Verlag

Die erste Stunde im Kurs

Guten Tag. Mein Name ist ...

Folge 1: Das bin ich.

1 🔊 1-8 **1 Sehen Sie die Fotos an und hören Sie.**

Wer ist das? Verbinden Sie.

Ich heiße Lara Nowak.

Mein Name ist Walter Baumann.

Ich bin Sofia Baumann.

Ich bin Lili.

1 ◀)) 1-8 **2 Was ist richtig? Hören Sie noch einmal und kreuzen Sie an.**

○ ○ ○ ☒

Laras Film

A
Ich komme aus
Deutschland.
Ich spreche
Polnisch und
Deutsch.

B
Ich komme aus
Deutschland. Ich
spreche Deutsch,
Englisch und ein
bisschen Spanisch.

C
Ich komme
aus Polen.
Ich spreche
Deutsch
und Englisch.

D
Ich komme aus
Deutschland. Ich
spreche Deutsch
und ein bisschen
Englisch.

1 ◀)) 9 A1 Wer sagt was? Hören Sie und ordnen Sie zu.

~~Guten Tag.~~ Hallo.   Auf Wiedersehen.   Tschüs.

A _Guten Tag._   B _____   C _____   D _____

A2 Guten Tag! Auf Wiedersehen!

1 ◀)) 10 a Hören Sie und ordnen Sie zu.

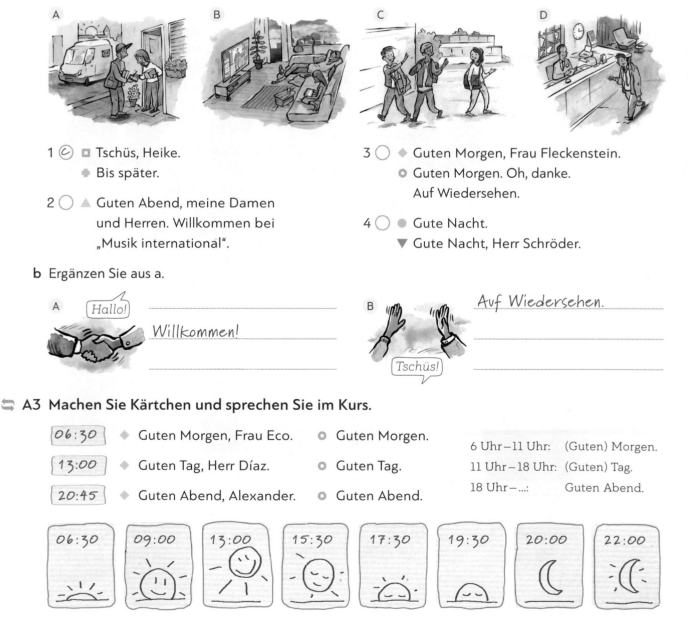

1 (C) ▫ Tschüs, Heike.
   ✚ Bis später.

2 ◯ ▲ Guten Abend, meine Damen
   und Herren. Willkommen bei
   „Musik international".

3 ◯ ◆ Guten Morgen, Frau Fleckenstein.
   ◉ Guten Morgen. Oh, danke.
   Auf Wiedersehen.

4 ◯ ● Gute Nacht.
   ▼ Gute Nacht, Herr Schröder.

b Ergänzen Sie aus a.

A _Hallo!_
   Willkommen!

B _Auf Wiedersehen._
   Tschüs!

🔁 A3 Machen Sie Kärtchen und sprechen Sie im Kurs.

06:30	◆ Guten Morgen, Frau Eco.	◉ Guten Morgen.
13:00	◆ Guten Tag, Herr Díaz.	◉ Guten Tag.
20:45	◆ Guten Abend, Alexander.	◉ Guten Abend.

6 Uhr – 11 Uhr: (Guten) Morgen.
11 Uhr – 18 Uhr: (Guten) Tag.
18 Uhr – …: Guten Abend.

06:30   09:00   13:00   15:30   17:30   19:30   20:00   22:00

B1 Ordnen Sie zu.

| Ich bin Lili. | ~~Ich heiße Lara Nowak.~~ | Ich bin Sofia Baumann. | Mein Name ist Walter Baumann. |

A   B   C   D

Ich heiße Lara
Nowak.

1 ◀)) 11-12 **B2 Hören Sie und lesen Sie die Gespräche. Ergänzen Sie die Namen.**

A

Richard Yulu

B

◆ Guten Tag. Mein Name ist Richard Yulu.
○ Guten Tag, Herr …
  Entschuldigung, wie heißen Sie?
◆ Richard Yulu.
○ Ah, ja. Guten Tag, Herr Yulu.
  Ich bin Helga Weber.
◆ Guten Tag, Frau Weber.

○ Das ist Herr Yulu.
▲ Guten Tag, Herr Yulu.
  Ich bin Magdalena Deiser.
◆ Guten Tag, Frau Deiser, freut mich.
▲ Herzlich willkommen
  im Park-Klinikum.

| Wie heißen Sie? |
| Ich heiße … |
| Ich bin … |
| Mein Name ist … |

⇆ **B3 Und jetzt Sie! Spielen Sie die Gespräche aus B2 im Kurs mit Ihrem Namen.**

⇆ **B4 Suchen Sie bekannte Personen und zeigen Sie ein Foto. Fragen Sie im Kurs.**

A   B   C   D

◆ Wer ist das?   ◆ Wer ist das?
○ Das ist …   ▲ Ich weiß es nicht.
◆ Ja, stimmt. / Nein.

| Wer ist das? |
| Das ist … |

[**SCHON FERTIG?** Schreiben Sie
Gespräche wie in B2. Beispiel:
Guten Tag, mein Name ist …

C Ich komme aus Polen.

C1 Woher kommen Sie?

1 🔊 13-15 **a** Hören Sie und ordnen Sie zu.

| heißen | ~~heißt~~ | kommen | bin | kommst | bin | bist | bin | komme | heiße | bin |

◆ Hallo, ich heiße Eduardo.
Und wie _heißt_ du?
◎ Hallo. Ich _____ Lara.
◆ Woher _____ du?
◎ Aus Polen.
◆ Und du? Wer _____ du?
▲ Ich _____ Sara.
Ich _____ aus
Portugal.

▣ Guten Tag, wie _____
Sie?
▲ Guten Tag. Ich _____
Juhani Jalonen.
▣ Freut mich.
Woher _____
Sie, Herr Jalonen?
▲ Aus Finnland, aus Helsinki.

✚ Guten Tag, ich _____
Herbert Schmidt. Herr
Lutz?
● Ja, guten Tag. Gustav Lutz.
Ich _____ von
der Firma Teletec.

b Ergänzen Sie die Tabelle.

	kommen	heißen	sein
ich	komme	h_____	b_____
du	k_____	h_____	b_____
Sie	k_____	heißen	sind

Woher kommen Sie?	Aus	Deutschland. / ...
Woher kommst du?		Helsinki. / ...

aus	aus dem	aus der	aus den
Deutschland	Jemen	Schweiz	USA
Österreich	Sudan	Türkei	...
Polen	...	...	
Spanien			
...			

C2 Internationaler Kongress

1 🔊 16-17 **a** Hören Sie und lesen Sie die Gespräche.
Markieren Sie dann alle Fragen mit „W".

1
◆ Guten Tag, ich bin Hans
Mayer. Wie heißen Sie?
◎ Riccardo Marini.
◆ Woher kommen Sie, Herr Marini?
◎ Aus der Schweiz.
◆ Aha! Und Sie? Wer sind Sie?
▲ Ich bin Teresa Costa.
Ich komme aus Portugal.

2
▣ Hallo, ich bin Anna.
Und du? Wie heißt du?
✚ Ich heiße Sadie.
▣ Und du? Wer bist du?
● Ich heiße Rabia.
▣ Woher kommst du?
● Aus Marokko.

b Ergänzen Sie Fragen aus a.

Sie   *Wie heißen Sie?*   du   _____

_____   _____

c Fragen und Antworten: Sprechen Sie wie in a.

C3 *du* oder *Sie*?

a Was ist richtig? Kreuzen Sie an.

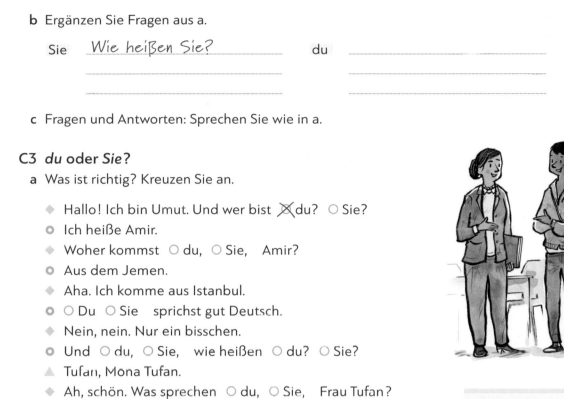

- ◆ Hallo! Ich bin Umut. Und wer bist ✗ du? ○ Sie?
- ◉ Ich heiße Amir.
- ◆ Woher kommst ○ du, ○ Sie, Amir?
- ◉ Aus dem Jemen.
- ◆ Aha. Ich komme aus Istanbul.
- ◉ ○ Du ○ Sie sprichst gut Deutsch.
- ◆ Nein, nein. Nur ein bisschen.
- ◉ Und ○ du, ○ Sie, wie heißen ○ du? ○ Sie?
- ▲ Tufan, Mona Tufan.
- ◆ Ah, schön. Was sprechen ○ du, ○ Sie, Frau Tufan?
- ▲ Ich spreche Deutsch und Türkisch.
- ◆ Aha, auch Türkisch.

Was sprichst du?

Was sprechen Sie?

1 ◀)) 18   **b** Hören Sie und vergleichen Sie.

🗘 C4 Das bin ich!

📱 Sprechen Sie mit Ihrer Partnerin / Ihrem Partner oder machen Sie einen Film.

Ich heiße …
Ich spreche …

Wie heißt du?

Ich bin …

Wie heißen Sie?	Ich heiße …
Wie heißt du?	(Ich spreche) Englisch.
Was sprechen Sie?	(Ich spreche) Italienisch
Was sprichst du?	und ein bisschen Deutsch.

Sprachen

Arabisch	Französisch	Russisch
Chinesisch	Griechisch	Spanisch
Deutsch	Italienisch	Türkisch
Englisch	Polnisch	…

D Buchstaben

D1 Das Alphabet

1 ◀)) 19 **a** Hören Sie und ordnen Sie zu. ku t̶s̶e̶ jot we es ha vau el

Aa	Bb	Cc	Dd	Ee	Ff	Gg	Hh	Ii	Jj	Kk	Ll	Mm
a	be	*tse*	de	e	ef	ge	.....	i	.....	ka	.....	em

Nn	Oo	Pp	Qq	Rr	Ss	Tt	Uu	Vv	Ww	Xx	Yy	Zz
en	o	pe	.....	er	.....	te	u	.....	.....	iks	ypsilon	tsett

Ää	Öö	Üü	ß
ä	ö	ü	eszett

b Sprechen Sie nach.

D2 Buchstabieren Sie Ihren Namen.

> *Ich heiße Maria Bari.*

> *Wie bitte? Buchstabieren Sie, bitte.*

> *M – A – R – …*

1 ◀)) 20 ## D3 Hören Sie das Telefongespräch. Sprechen Sie dann mit Ihrem Namen.

◆ Firma Microlab, Tina Schwarz, guten Tag.

○ Guten Tag. Mein Name ist Takishima. Ist Frau Beck da, bitte?

◆ Guten Tag, Herr Taki…

○ Takishima.

◆ Entschuldigung, wie ist Ihr Name?

○ Takishima. Ich buchstabiere: T–A–K–I–S–H–I–M–A.

◆ Ah ja, Herr Takishima. Einen Moment, bitte … Herr Takishima? Tut mir leid, Frau Beck ist nicht da.

○ Ja, gut. Vielen Dank. Auf Wiederhören.

◆ Auf Wiederhören, Herr Takishima.

🔁 D4 Spiel: *Die Buchstabenmaus*. Raten Sie Wörter aus der Lektion.

> *e?* _ s _ h _ s *Nein.*

> *t?* T s _ h _ s *Ja.*

> *Tschüs?* T s c h ü s *Ja.*

E Adresse

E1 Wer ist das?

a Sehen Sie die Fotos an und lesen Sie. Welche Visitenkarte passt zu welcher Person? Ordnen Sie zu.

A ③ Ich bin aus Deutschland. Sport ist super.

B ○ Ich bin aus Österreich. Ich spreche Deutsch, Englisch und Ungarisch.

C ○ Ich komme aus Liechtenstein.

D ○ Grüezi, ich komme aus der Schweiz. Ich spreche Schweizerdeutsch.

UBS

Ben Studer
Finanzen
Paradeplatz 6,
CH-8001 Zürich
Kreis 1 (City)

044 234 1111

2

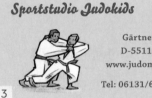

Sportstudio Judokids

Gärtnergasse 1
D-55116 Mainz
www.judomainz.de

Tel: 06131/6929593

3

1 Heidi Morbacher
DOLMETSCHERIN & ÜBERSETZERIN

Keplerstraße 105
(A) 8020 Graz
Fon 0316/26 7711
info@schnelluebersetzer.at

JOJO Reisen

Landstrasse 53
FL-9490 Vaduz
Tel: 00423 237 6677
Fax: 00423 237 6679
E-Mail: info@jojo-reisen.li

4

b Lesen Sie die Visitenkarten in a noch einmal und markieren Sie:
Vorname, Familienname/Nachname, Straße, Stadt, Land

c Wie heißt das Land? Ordnen Sie zu.

~~Deutschland~~   Schweiz   Österreich   Liechtenstein

D = _Deutschland_   CH = ...

A = ...   FL = ...

SCHON FERTIG? Schreiben
Sie Ihre Visitenkarte.
Tauschen Sie die Karten.

1 ◀)) 21 **E2 Hören Sie und ergänzen Sie das Formular.**

Familienname	W
Vorname	
Land	
Postleitzahl, Stadt	1700
Straße, Hausnummer	Rue de la Sarine 6

Grammatik und Kommunikation

Grammatik

1 Aussage ÜG 10.01

	Position 2	
Mein Name	ist	Walter Baumann.
Ich	bin	Lili.
Ich	komme	aus Deutschland.
Sie	sprechen	gut Deutsch.

2 W-Frage ÜG 10.03

	Position 2	
Wer	ist	das?
Wie	heißen	Sie?
Woher	kommen	Sie?
Was	sprechen	Sie?

3 Verb: Konjugation ÜG 5.01

	kommen	heißen	sprechen	sein
ich	komme	heiße	spreche	bin
du	kommst	heißt	sprichst	bist
Sie	kommen	heißen	sprechen	sind

Merke:

ich	-e
du	-st
Sie	-en

du heißt
du sprichst

Kommunikation

BEGRÜSSUNG: Hallo!

Hallo! | (Guten) Morgen, Frau Eco. | (Guten) Tag, Herr Yulu.
Guten Abend, Alexander. | (Herzlich) Willkommen. | Freut mich.
Firma Microlab, Tina Schwarz, guten Tag.

ABSCHIED: Auf Wiedersehen.

Auf Wiedersehen. | Tschüs! | (Gute) Nacht. |
Auf Wiederhören. | Bis später!

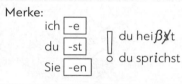

Hallo!

Tschüs!

NAME: Wie heißen Sie?

Wie heißen Sie?	*Ich heiße/bin Lara Nowak.*
Wie heißt du?	*Ich heiße/bin Lili.*
Wer sind Sie?	*(Ich bin) Sofia Baumann.*
Wer bist du?	*(Ich bin) Lili.*
Wie ist Ihr Name?	*(Mein Name ist) Lara Nowak.*
Wer ist das?	*Das ist Herr Yulu.*
	Ich buchstabiere: Y–U–L–U.

Merke:

Ich heiße
Mein Name ist

Frau Baumann.

HERKUNFT: Woher kommen Sie?

Woher kommen Sie, Frau Nowak?   *(Ich komme) Aus Polen.*
Woher kommst du, Lara?

SPRACHE: Was sprechen Sie?

Was sprechen Sie?   *Deutsch.*
Was sprichst du?   *Ich spreche Deutsch und (ein bisschen) Englisch.*

Sie sprechen / Du sprichst gut Deutsch.   *Nein, nur ein bisschen.*

ENTSCHULDIGUNG: Tut mir leid.

Entschuldigung, ... | Tut mir leid.

BITTEN UND DANKEN: Vielen Dank.

Ist Frau Beck da, bitte? | Buchstabieren Sie, bitte.
Vielen Dank. / Danke.

STRATEGIEN: Ja, stimmt.

Ja. | Nein. | Ah, ja. | Aha! | Ja, stimmt. | Ja, gut.
Wie bitte? | ..., bitte? | Einen Moment, bitte. | Ich weiß es nicht.
Ah, schön.

Das bin ich. Ergänzen Sie.

Name: _____
Land: _____
Stadt: _____
Sprache: _____

Schreiben Sie.

Ich heiße ...
Ich komme aus ...
Ich spreche ...

Sie möchten noch mehr üben?

1 | 22-24 AUDIO-TRAINING   VIDEO-TRAINING

Lernziele

Ich kann jetzt ...

A ... jemanden begrüßen und mich verabschieden:
   Hallo! Auf Wiedersehen. _____   ☺ ☺ ☺

B ... jemanden nach dem Namen fragen und meinen Namen sagen:
   Wie heißen Sie? – Mein Name ist Richard Yulu. _____   ☺ ☺ ☺

C ... nach dem Heimatland fragen und mein Heimatland sagen:
   Woher kommen Sie? – Ich komme aus Spanien. _____   ☺ ☺ ☺

   ... sagen: Diese Sprachen spreche ich:
   Was sprichst du? – Ich spreche Italienisch und ein bisschen Deutsch. ☺ ☺ ☺

D ... die Buchstaben sagen und meinen Namen buchstabieren:
   Maria: M – A – R – I – A _____   ☺ ☺ ☺

   ... am Telefon nach einer Person fragen:
   Ist Frau Beck da, bitte? _____   ☺ ☺ ☺

E ... eine Visitenkarte lesen und ein Formular ausfüllen:
   Familienname: Studer; Vorname: Ben; ... _____   ☺ ☺ ☺

Ich kenne jetzt ...

... 5 Länder:

Österreich, ...

_____

... 5 Sprachen:

Italienisch, ...

_____

LIED

Das Alphabet

1 🔊 25 Hören Sie das Lied und sprechen Sie mit.

Akkordeon

Baby

Cent

Dynamit

Elefant

Flöte

Gitarre

Hallo

Insekt

Jaguar

Kamera

Lokomotive

Mikrofon

Natur

Ozean

Polizei

Quartett

Radio

Saxofon

Telefon

Uhu

Volksmusik

Wolfgang
Amadeus

Xylofon

Ypsilon

Zirkus

FILM / SPIEL

Buchstabenspiel

Sehen Sie den Film an. Hören Sie und
ergänzen Sie die Namen.

Anna,

1

FILM

Hallo und guten Tag!

1 Sehen Sie den Film ohne Ton an. Was meinen Sie: Was sagen die Personen? Notieren Sie.

_____   _____   _____

_____   _____   _____

2 Sehen Sie den Film nun mit Ton an und vergleichen Sie.

LANDESKUNDE

Begrüßung und Abschied regional

1 ◀) 26   **1** In Deutschland, Österreich und in der Schweiz gibt es viele Wörter für *Guten Tag!*
und *Auf Wiedersehen!* Hören Sie die Wörter und markieren Sie in den Karten.

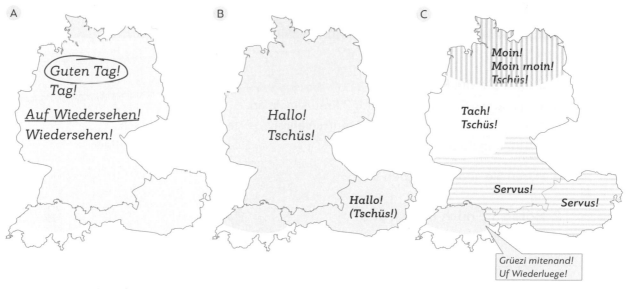

2 *Guten Tag* und *Auf Wiedersehen* international.
Sprechen Sie.

> Ich spreche Ungarisch.
> „Guten Tag" heißt: „Jó napot".

Meine Familie

Folge 2: Pause ist super.

1 Sehen Sie die Fotos an.

a Was meinen Sie? Was ist richtig? Kreuzen Sie an.

1 Tim   ○ ist Laras Deutschlehrer.   ○ lernt auch Deutsch.

2 Tim und Lara   ○ haben Pause.   ○ lernen Deutsch im Park.

1 ◀) 27-34   **b** Hören Sie und vergleichen Sie.

1 ◀) 28-29   **2 Hören Sie noch einmal und ordnen Sie zu.**

~~Kanada~~   Lublin   Polen   Ottawa

Tim

Land: _Kanada_

Stadt: _____

Lara

Land: _____

Stadt: _____

1 ◀)) 30-32 **3 Das ist meine Familie.**

a Hören Sie noch einmal und ordnen Sie zu.

Vater   Großeltern   Mutter

~~Eltern~~   Bruder   Mutter

Das sind Tims

_Eltern_____ :

Tims _____

und Tims _____ .

Das ist Tims

_____ .

Das ist Laras   Das sind Laras

_____ .   _____ .

Laras
und Tims
Film

b Was ist richtig? Hören Sie und kreuzen Sie an.

1 ⊠   2 ○   3 ○
Lara ist zwanzig Jahre alt.   Lara hat Geschwister.   Laras Vater lebt in Poznań.

A Wie geht's? – Danke, gut.

A1 Wie geht's? Hören Sie und ordnen Sie zu.

1 Super.
2 Danke, sehr gut.
3 Gut, danke.
4 Na ja, es geht.
5 Ach, nicht so gut.

A2 Wie geht es Ihnen?

a Ordnen Sie die Gespräche und schreiben Sie. Hören Sie dann und vergleichen Sie.

1

○ Auch gut, danke.
◆ Hallo, Lara.
◆ Danke, gut. Und wie geht es dir?
○ Hallo, Tim. Wie geht's?

2

□ Ach, nicht so gut.
▲ Danke, sehr gut. Und Ihnen?
□ Guten Morgen, Herr Baumann. Wie geht es Ihnen?
▲ Guten Morgen, Frau Jansen.

1 ◆ Hallo, Lara.
  ○ Hallo, Tim. Wie geht's?

du	→	Wie geht's?	
		Wie geht es dir?	Gut, danke.
Sie	→	Wie geht's?	
		Wie geht es Ihnen?	

b Wie geht es Ihnen? Spielen Sie Gespräche mit Ihrem Namen wie in a.

A3 Sehen Sie die Bilder an: *du* oder *Sie*? Schreiben Sie Gespräche und sprechen Sie.

A B C D

A ◆ Hallo, Andreas.
  ○ Hallo, Michael. Wie geht es dir?
  ◆ ...

B Das ist **mein Bruder**.

B1 Wer ist das?

1 ◀) 38 **a** Hören Sie und
ordnen Sie zu.

Walter & Luise

ich   meine Frau

meine Kinder

Tobias   Sofia

Lili

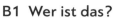

meine Enkelin

meine Tochter

~~meine Frau~~

mein Sohn

b Was ist richtig? Kreuzen Sie an.

Sofia ist ...

☒ meine Schwester.
○ meine Oma/Großmutter.

Walter ist ...

○ mein Mann.
○ mein Opa/Großvater.

B2 Familienfotos

1 ◀) 39 **a** Was fragen Tim und Frau Möller?
Ordnen Sie zu. Hören Sie dann und vergleichen Sie.

Dein   mein   meine   Ihre

1
◆ Wer ist das? _____ Bruder?
○ Nein, das ist _____ Vater.

2
▲ Wer ist das? _____ Tochter?
▢ Nein, das ist _____ Enkelin Lili.

b Spielen Sie weitere Gespräche.

⇆ B3 Rätsel

Ihre Familie: Schreiben Sie einen Namen auf einen Zettel.
Wer ist das? Ihre Partnerin / Ihr Partner rät.

◆ Wer ist María?
○ María ist deine Ehefrau.
◆ Nein, falsch.
○ María ist deine Schwester, oder?
◆ Ja, genau.

Possessivartikel

mein	mein	meine	meine
Bruder	Kind	Tochter	Kinder

ich	du	Sie	
mein	dein	Ihr	Bruder
mein	dein	Ihr	Kind
meine	deine	Ihre	Tochter
meine	deine	Ihre	Kinder

> **SCHON FERTIG?** Planen Sie
> ein Familienfest. Wer kommt?
> Machen Sie eine Liste.
> Beispiel: *meine Tochter ...*

C Er lebt in Poznań.

1 ◀)) 40 **C1 Tim und Lara**

a Hören Sie und ordnen Sie zu.

~~ist~~ ist kommt lebt kommt leben spricht sind wohnen

Das _ist_ Lara. Sie _____ aus Polen. Aus Lublin. Laras Eltern _____ nicht zusammen. Sie _____ geschieden. Laras Vater _____ in Poznań.

A

Das _____ Tim. Er _____ aus Kanada. Er _____ ein bisschen Deutsch.

B

Lara und Tim _____ jetzt in München.

C

b Ergänzen Sie die Tabelle.

Personalpronomen			er/sie	kommt	lebt	spricht	ist
Tim	→	_____	sie	kommen	leben	sprechen	sind
Lara	→	_____					
Lara und Tim	→	sie					

C2 Das ist/sind ...

Lesen Sie die Informationen und schreiben Sie. Suchen Sie dann weitere Personen.

Yari
Japan (Nagoya)
Deutschland

Erika und Marlon
Ungarn
Österreich

Das ist Yari.
Er kommt aus ... Jetzt lebt er in ...

Das sind ...

C3 Im Zug

1 ◀)) 41 **a** Wer sagt das? Hören Sie und kreuzen Sie an.

Stéphane

Pierre

Leonie

	Leonie	Stéphane
1 Wer seid ihr?	✗	○
2 Ihr kommt aus Frankreich.	○	○
3 Wir kommen aus Genf.	○	○

wir	kommen	sind
ihr	kommt	seid

b Im Kurs: Gehen Sie zu zweit herum und fragen Sie andere Paare. Sprechen Sie mit Ihrem Namen.

◆ Hallo. Wer seid ihr?
○ Wir sind ... und ... / Das ist ... und ich bin ...

◆ Woher kommt ihr?
○ Wir kommen aus ... / Ich komme aus ... und ... kommt aus ...

1 ◀)) 42 **D1 Hören Sie und sprechen Sie nach.**

0	1	2	3	4	5	6	7	8	9	10
null	eins	zwei	drei	vier	fünf	sechs	sieben	acht	neun	zehn

11	12	13	14	15	16	17	18	19	20
elf	zwölf	dreizehn	vierzehn	fünfzehn	sechzehn	siebzehn	achtzehn	neunzehn	zwanzig

1 ◀)) 43 **D2 Welche Telefonnummer hören Sie? Kreuzen Sie an.**

1 ⊗ 11 12 20   2 ○ 19 18 10   3 ○ 16 17 13
○ 12 11 20   ○ 19 16 10   ○ 16 17 03

1 ◀)) 44 **D3 Hören Sie und lesen Sie das Gespräch.**
Ergänzen Sie das Formular.

◆ Wie heißen Sie?
○ Veronica Ventura.
◆ Wo sind Sie geboren?
○ In Biasca. Das liegt in
der Schweiz.
◆ Wie ist Ihre Adresse?
○ Marktstraße 1, 20249 Hamburg.
◆ Wie ist Ihre Telefonnummer?
○ 7 8 8 6 3 9.
◆ Sind Sie verheiratet?
○ Nein, ich bin geschieden.
◆ Haben Sie Kinder?
○ Ja, ein Kind.
◆ Wie alt ist Ihr Kind?
○ Drei.

Familienname	Ventura
Vorname	
Heimatland	Schweiz
Geburtsort	
Straße	
Wohnort	
Telefonnummer	
Familienstand	

Familienstand
   ○ ledig   ○ verwitwet
   ○ verheiratet   ○ geschieden

Kinder
   ⊗ ja _1_ Alter _____
   ○ nein

ich	habe	
du	hast	ein Kind
er/sie	hat	

🔁 **D4 Partnerinterview**

a Markieren Sie die Fragen in D3 und fragen Sie
Ihre Partnerin / Ihren Partner. Notieren Sie.

> Wo wohnen Sie?
> Haben Sie Kinder?   Ja, eins/zwei/...
>   Nein.
> Wie alt ist Ihr Kind / sind Ihre Kinder?

Familienname	Jones
Vorname	Jennifer
Heimatland	USA
Geburtsort	Chicago

b Schreiben Sie über Ihre Partnerin / Ihren Partner.

Das ist Jennifer Jones. Sie kommt
aus den USA, aus Chicago ...

E1 Suchen Sie die Städte auf der Landkarte.
Was ist richtig? Kreuzen Sie an.

	▬	▬	✚
a Hamburg ist in	✗	○	○
b Zürich ist in der	○	○	○
c Linz ist in	○	○	○
d Berlin ist die Hauptstadt von	○	○	○
e Wien ist die Hauptstadt von	○	○	○
f Bern ist die Hauptstadt der	○	○	○
g München liegt in Süd-...	○	○	○
h Kiel liegt in Nord-...	○	○	○

E2 Familie Waldherr

a Wer ist wer? Lesen Sie und ordnen Sie zu.

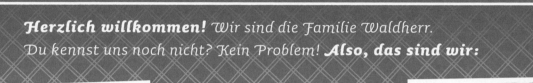

Familie Waldherr

Herzlich willkommen! Wir sind die Familie Waldherr. Du kennst uns noch nicht? Kein Problem! *Also, das sind wir:*

Ⓑ Ich heiße Peter Waldherr. Ich bin verheiratet und habe zwei Kinder, einen Sohn und eine Tochter. Ich bin in Stuttgart geboren und lebe auch hier.

◯ Mein Name ist Benno Gebhardt. Ich bin verheiratet und habe zwei Kinder. Ich komme aus Kiel, aber ich lebe in Heidelberg. Ich bin bei der Polizei.

◯ Mein Name ist Maria Waldherr. Ich bin verheiratet und habe zwei Kinder. Meine Tochter Katharina hat auch zwei Kinder. Ich komme aus Österreich, aber ich lebe schon sehr lange hier in Stuttgart.

◯ Hallo! Ich bin Sebastian Gebhardt. Ich bin 16 und wohne in Heidelberg.

◯ Ich heiße Katharina Gebhardt. Ich bin verheiratet und habe zwei Kinder. Ich bin Fremdsprachen-Assistentin.

◯ Ich heiße Franz Waldherr und bin Arzt. Ich bin ledig und habe keine Kinder. Meine Partnerin Mailin kommt aus Dänemark. Wir leben in der Schweiz, in Basel.

◯ Hallo! Ich heiße Antonia Gebhardt. Ich bin 19 und komme aus Heidelberg. Zurzeit lebe ich in England. Ich bin Au-pair-Mädchen.

b Was ist richtig? Lesen Sie noch einmal und kreuzen Sie an.

1 Peter und Maria Waldherr leben in ☒ Stuttgart. ◯ Heidelberg.
2 Benno Gebhardt kommt aus ◯ Norddeutschland. ◯ Süddeutschland.
3 Maria Waldherr ist in ◯ der Schweiz ◯ Österreich geboren.
4 Katharinas Sohn heißt ◯ Benno. ◯ Sebastian.
5 Franz Waldherr ist ◯ verheiratet. ◯ nicht verheiratet.

c Machen Sie zwei Aufgaben wie in b für Ihre Partnerin / Ihren Partner.

Antonia kommt aus ◯ Stuttgart. ◯ Heidelberg.

Grammatik und Kommunikation

Grammatik

1 Possessivartikel: *mein/e, dein/e, Ihr/e* ÜG 2.04

maskulin	neutral	feminin	Plural
mein Bruder	mein Kind	mein**e** Tochter	mein**e** Kinder
dein Bruder	dein Kind	dein**e** Tochter	dein**e** Kinder
Ihr Bruder	Ihr Kind	Ihr**e** Tochter	Ihr**e** Kinder

2 Verb: Konjugation ÜG 5.01

	leben*	heißen	sprechen
ich	lebe	heiße	spreche
du	lebst	heißt	sprichst
er/sie	lebt	heißt	spricht
wir	leben	heißen	sprechen
ihr	lebt	heißt	sprecht
sie/Sie	leben	heißen	sprechen

*auch so: *wohnen, lernen, kommen ...*

	sein	haben
ich	bin	habe
du	bist	hast
er/sie	ist	hat
wir	sind	haben
ihr	seid	habt
sie/Sie	sind	haben

Ergänzen Sie.

Das ist ...

1 Das ist _____

2 _____

3 _____

Finden Sie noch vier Formen
von *sein*.

A	B	I	S	T	R
L	E	R	E	N	O
K	B	E	I	S	T
S	I	N	D	V	S
O	N	D	R	U	H

Kommunikation

BEFINDEN: Wie geht's?

Wie geht's?	(Danke,) Super. / Sehr gut. / Gut. Sehr gut, danke. / Gut, danke.
Wie geht es Ihnen?	Na ja, es geht.
Wie geht es dir?	Ach, nicht so gut.
Und (wie geht es) Ihnen/dir?	Auch gut, danke.

TiPP

Lernen Sie Fragen und Antworten
immer zusammen.

ANDERE VORSTELLEN: Das ist mein Vater.

Das ist mein Vater / Tims Bruder. | *Sie/Er kommt aus ...* |
Sie/Er lebt in ... / Jetzt lebt sie/er in ...

Das sind meine Großeltern. | *Sie kommen aus ...* | *Sie leben in ...*

Ihr Bruder / Ihre Schwester / ...
Schreiben Sie.

Das ist ...
Sie/Er kommt aus ...
Sie/Er lebt in ...
Sie/Er spricht ...
Sie/Er hat ...

ANGABEN ZUR PERSON: Wo wohnen Sie?

Wo sind Sie geboren? | *In Biasca. Das liegt in der Schweiz.*

Wo wohnen Sie? | *Hamburg. /*
Ich lebe/wohne in Hamburg.
Ich wohne in der Marktstraße.

Wie ist Ihre Adresse? | *Marktstraße 1, 20249 Hamburg.*
Wie ist Ihre Telefonnummer? | *788639.*
Sind Sie verheiratet? | *Ja, ich bin verheiratet.*
Nein, ich bin ledig/verwitwet/geschieden.

Haben Sie Kinder? | *Ja, eins/zwei/...*
Nein.

Wie alt ist Ihr Kind? | *Drei.*
Wie alt sind Ihre Kinder? | *Acht und fünf.*

ORT: Hamburg ist in Deutschland.

Hamburg ist/liegt in Deutschland.
Wien ist die Hauptstadt von Österreich.
Hamburg und Kiel sind/liegen in Norddeutschland.
München ist/liegt in Süddeutschland.

STRATEGIEN: Ja, genau.

Na ja, ... | Ach, ... | Ja, genau. | Nein, falsch.

Ergänzen Sie das Formular.

Name:
Geburtsort:
Wohnort:
Telefonnummer:
Familienstand:

Sie möchten noch mehr üben?

1 | 45-47 AUDIO-TRAINING

VIDEO-TRAINING

Lernziele

Ich kann jetzt ...

A ...sagen und andere fragen: Wie geht es dir?
Wie geht es Ihnen? – Danke, sehr gut. _____ ☺ ☺ ☹
B ...meine Familie vorstellen:
Das ist mein Vater. _____ ☺ ☺ ☹
C ...meinen Wohnort sagen:
Ich komme aus der Schweiz. Ich wohne jetzt in Deutschland. _____ ☺ ☺ ☹
D ...bis 20 zählen: *null, eins, zwei, ...* ☺ ☺ ☹
...Fragen zu meiner Person verstehen und beantworten:
Wo sind Sie geboren? – In Biasca. _____ ☺ ☺ ☹
...ein Formular ausfüllen:
Familienname: Ventura; Vorname: Veronica; Wohnort: ... _____ ☺ ☺ ☹
E ...einfache Informationen verstehen:
Ich bin verheiratet und habe zwei Kinder. _____ ☺ ☺ ☹

Ich kenne jetzt ...

... 5 Wörter zum Thema *Familie*:

Oma, ...

_____

... 3 Wörter zum Thema *Familienstand*:

ledig, ...

_____

LESEN

Meine Familie und ich

Ich bin Teresa Maurick. Ich bin in Schwabach geboren. Schwabach liegt in Franken, in der Nähe von Nürnberg. Meine Eltern leben in Schwabach. Sie haben ein Restaurant. Meine Großeltern wohnen in Nürnberg. Meine Oma heißt Elfriede, mein Opa heißt Rudolf. Opa ist in Wien geboren. Papas Eltern leben leider nicht mehr. Ich habe zwei Geschwister. Mein Bruder heißt Arthur. Er ist Ingenieur und lebt seit einem Jahr in Graz. Graz liegt in Österreich. Meine Schwester Lisa wohnt in Frankfurt. Sie ist schon verheiratet. Ihr Mann heißt Thomas. Er ist Pilot und arbeitet bei der Lufthansa.
Ich lebe im Moment in Berlin und studiere Informatik an der Humboldt-Universität. Mein Partner Ralf ist Schweizer. Er kommt aus Zürich, lebt aber auch in Berlin. Ralf ist Fotograf.

Lesen Sie den Text über Teresa. Was ist richtig? Kreuzen Sie an.

1 ○ Oma Elfriede wohnt in Nürnberg.
2 ○ Arthur hat zwei Geschwister.
3 ○ Lisa ist verheiratet.
4 ○ Thomas ist Ingenieur.

5 ○ Teresa studiert Informatik.
6 ○ Teresa ist verheiratet.
7 ○ Ralf kommt aus Berlin und studiert in Zürich.

SPIEL

Kettenspiel

Bilden Sie Gruppen.
Jede/r sagt drei Sätze über sich.

> Das ist Susan. Sie ist in Manchester geboren. Sie spricht ein bisschen Deutsch. – Ich bin Mark. Ich bin verheiratet. Ich habe drei Kinder.

> Das ist Susan. Sie ist in Manchester geboren. Sie spricht ein bisschen Deutsch. – Das ist Mark. Er ist verheiratet. Er hat drei Kinder. – Ich heiße Caroline. Ich bin ledig. ...

> Ich heiße Susan. Ich bin in Manchester geboren. Ich spreche ein bisschen Deutsch.

> Das ist Susan. Sie ist ...

PROJEKT

Kurs-Kontaktliste

1 Arbeiten Sie zu zweit. Ergänzen Sie den Fragebogen
für Ihre Partnerin / Ihren Partner.

i-b-r-a-h-i-m Unterstrich 19 ‚ät'gmail Punkt com.

ibrahim_19@gmail.com

a Wie heißt du? / Wie heißen Sie?

Mein Vorname ist _____

Mein Familienname ist _____

b Wie ist deine Telefonnummer? / Wie ist Ihre Telefonnummer?

Meine Telefonnummer ist _____

c Wie ist deine E-Mail-Adresse? / Wie ist Ihre E-Mail-Adresse?

Meine E-Mail-Adresse ist _____

d Was sprichst du? / Was sprechen Sie?

Ich spreche _____ (Muttersprache).

Ich spreche gut / ein bisschen _____ (Fremdsprache 1).

Ich spreche gut / ein bisschen _____ (Fremdsprache 2).

Ich spreche gut / ein bisschen _____ (Fremdsprache 3).

2 Machen Sie eine Kontaktliste.

Vorname	Familienname	Telefonnummer	E-Mail-Adresse
Ibrahim	Saada	0170-97993410	Ibrahim_19@gmail.com

3 Im Kurs: Welche Sprachen sprechen Sie?
Machen Sie eine Kursstatistik. Sammeln Sie
dazu Informationen aus den Fragebogen.

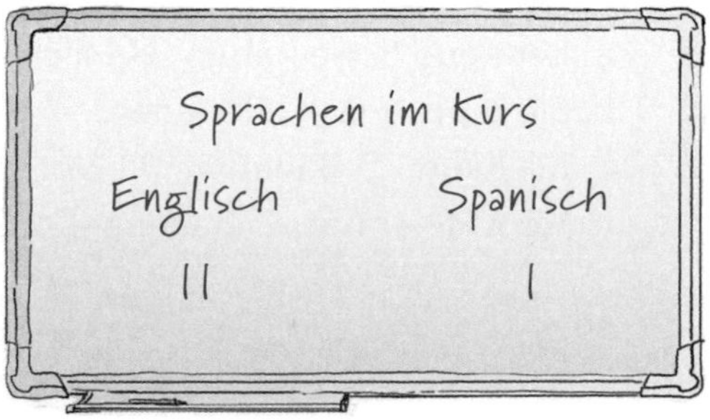

Sprachen im Kurs

Englisch   Spanisch

II   I

Essen und Trinken

1 Sehen Sie die Fotos an. Welche Wörter kennen Sie oder verstehen Sie? Zeigen Sie.

Bananen | Butter | Eier | Mehl | Milch | Zucker | Pfannkuchen | Schokolade | ...

1 🔈 48-55

2 Was ist richtig? Hören Sie und kreuzen Sie an.

a Lara und Sofia haben ☒ Milch. ○ Butter. ○ Zucker. ○ Pfannkuchen. ○ Mehl.
b Sie brauchen ○ Bananen. ○ Eier. ○ Schokolade. ○ Pfannkuchen.
c Lili kauft ○ Bananen. ○ Eier. ○ Schokolade. ○ Schokoladeneier.
d Herr Meier hat ○ Bananen. ○ Eier. ○ Milch. ○ Schokolade.

1 ◀)) 48-55 **3 Welches Foto passt? Ordnen Sie zu. Hören Sie dann noch einmal und vergleichen Sie.**

Foto

a Möchtest du Pfannkuchen?	②
b Nein, wir haben kein Ei.	○
c Ich habe Hunger.	○
d Superlecker ... Bananenpfannkuchen!	○
e Kaufst du bitte zehn Eier?	○
f Das ist ein Schokoladenei.	○
g Das macht dann zusammen 3 Euro 87.	○
h Kann ich dir helfen?	○

Laras Film

4 Wo auf der Welt gibt es Pfannkuchen? Wie essen Sie gern Pfannkuchen?
Erzählen Sie.

> In Sri Lanka heißen Pfannkuchen „Hoppers".

> Ich esse gern American Pancake mit Ahornsirup.

A Das ist doch **kein** Ei.

A1 Ein Ei?

1 ◀) 56   **a** Hören Sie und ordnen Sie zu.

ein   ~~kein~~   keine

◆ Das ist doch _kein_ Ei!
   Das ist Schokolade.

○ Nein, das ist _____ Schokolade.
   Das ist _____ Schokoladenei.

b Ergänzen Sie die Tabelle.

indefiniter Artikel		Negativartikel
• ein Apfel	→	kein Apfel
• ein Ei	→	_____ Ei
• eine Schokolade	→	_____ Schokolade

A2 Was ist das? Zeigen Sie und sprechen Sie. Arbeiten Sie auch mit dem Wörterbuch.

• ein Ei   • eine Banane   • ein Apfel   • eine Orange
• ein Kuchen   • ein Kaffee   • ein Saft   • ein Brötchen
• ein Würstchen   • eine Birne   • eine Tomate   • eine Kiwi

◆ Wie heißt das auf Deutsch?
○ Das ist eine Orange.
◆ Und was ist das?
○ Das ist ein Würstchen.

A3 Ergänzen Sie.

a
Das ist kein Apfel.
Das ist _eine Tomate_ .

b
Das ist keine Kiwi.
Das ist _____ .

c
Das ist _____ Tomate.
Das ist _____ .

d
Das ist _____ Kuchen.
Das ist _____ .

e
Das ist _____ Würstchen.
Das ist _____ .

f
Das ist _____ Birne.
Das ist _____ .

🔁 A4 Spiel: Zeichnen Sie. Die anderen raten.

◆ Was ist das?
○ Das ist ein Würstchen.
◆ Nein, das ist kein Würstchen.
○ Das ist eine Banane!

B Wir brauchen aber **Eier**.

3

1 ◀)) 57 **B1 Hören Sie und ordnen Sie zu.**

Eier   Bananen   ~~Pfannkuchen~~

zehn _____   zwei _____   zwanzig _Pfannkuchen_____

B2 Ordnen Sie zu.

~~Kiwis~~   ~~Äpfel~~   Orangen   Brote   Eier
Bananen   Tomaten   Birnen   Würstchen

Im Einkaufswagen sind *keine*
◦ Äpfel
◦ …

Im Einkaufs-wagen sind
◦ Kiwis
◦ …

Singular		Plural
• ein	Apfel	• Äpfel
• ein	Kuchen	• Kuchen
• ein	Brot	• Brote
• ein	Ei	• Eier
• eine	Banane	• Bananen
• eine	Kiwi	• Kiwis

• kein Apfel	• keine Äpfel
• kein Ei	• keine Eier
• keine Kiwi	• keine Kiwis

B3 Suchen Sie im Wörterbuch und ergänzen Sie.

eine Kartoffel   ein Joghurt   eine Zwiebel   ein Fisch

zwei Kartoffeln
drei …
vier …

die Kar|tof|fel [karˈtɔfl]; -, -n: *außen braunes, innen gelbes Gemüse, das unter der Erde wächst:* feste, mehlige Kartoffeln; rohe, gekochte Kartoffeln; Kartoffeln schälen, pellen, abgießen. *Syn.:* Erdapfel (bes. österr.). *Zus.:* Speisekartoffel, Winterkar-toffel.

die Kartoffel

🔁 **B4 Suchbild: Was ist in Regal B anders?**
Sprechen Sie mit Ihrer Partnerin /
Ihrem Partner und finden
Sie die sieben Unterschiede.

In Regal A sind drei Bananen.

In Regal B sind keine Bananen.

[**SCHON FERTIG?** Was kaufen
Sie oft? Suchen Sie
die Wörter im Wörterbuch.

C Haben wir Zucker?

C1 Ordnen Sie zu.

- ○ Fleisch
- ○ Bier
- ○ Käse
- ○ Salz
- ○ Tee
- ⑩ Obst
- ○ Wein
- ○ Mineralwasser
- ○ Reis
- ○ Zucker
- ⑫ Gemüse
- ○ Mehl

1 ◀)) 58 C2 Sehen Sie das Bild an.

Fragen Sie und antworten Sie.

~~Zucker~~ Mineralwasser Fleisch Fisch
Reis Wein ~~Brot~~ Bier Mehl

◆ Haben wir Zucker?
○ Ja.

◆ Haben wir Brot?
○ Nein.

| Haben wir Zucker? | Ja. |
| | Nein. |

1 ◀)) 59 C3 Hören Sie und spielen Sie weitere Gespräche.

◆ Entschuldigung.
  Haben Sie Eier?
○ Eier? Ja, natürlich.
  Hier, bitte. Sonst noch etwas?
◆ Und haben Sie auch Milch?
○ Nein, tut mir leid.

Eier ☺
Bananen ☹
Milch ☹
Zucker ☺
Schokolade ☺

⇄ C4 Einkaufszettel

a Was haben Sie zu Hause?
Zeichnen Sie
oder schreiben Sie.

Ich habe:
Käse ...

b Fragen Sie Ihre Partnerin / Ihren Partner. Was braucht sie/er?
Schreiben Sie dann einen Einkaufszettel für Ihre Partnerin / Ihren Partner.

◆ Kim, brauchst du Käse?
○ Nein.

◆ Brauchst du Reis?
○ Ja.

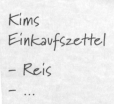

Kims
Einkaufszettel
- Reis
- ...

1 ◀)) 60 **D1 Zahlen: Hören Sie und verbinden Sie.**

a	0,20 €	dreißig Cent	f	0,70 €	siebzig Cent
b	0,30 €	sechzig Cent	g	0,80 €	hundert Cent / ein Euro
c	0,40 €	zwanzig Cent	h	0,90 €	achtzig Cent
d	0,50 €	fünfzig Cent	i	1,00 €	neunzig Cent
e	0,60 €	vierzig Cent			

80   85   41

achtzig   fünfundachtzig   einsundvierzig

1 ◀)) 61-63 **D2 Preise: Was ist richtig? Hören Sie und kreuzen Sie an.**

a ☒ Brötchen: 0,35 €   ○ Brötchen: 0,30 €   ○ Brötchen: 0,10 €
b ○ Eier: 0,20 €   ○ Eier: 1,20 €   ○ Eier: 2,20 €
c ○ Fisch: 0,99 €   ○ Fisch: 2,99 €   ○ Fisch: 2,00 €

D3 Sehen Sie den Prospekt an. Fragen Sie und antworten Sie.

◆ Was kosten 100 Gramm Käse?
○ 100 Gramm Käse kosten ...
◆ Wie viel kostet ein Kilo Hackfleisch?
○ ...

1 kg = ein Kilo(gramm)	eine Flasche Saft	Was kostet / Wie viel kostet	ein Kilo Orangen?
100 g = 100 Gramm	eine Packung Tee		
500 g = ein Pfund	eine Dose Tomaten	Was kosten / Wie viel kosten	100 Gramm Käse / sechs Eier?
1 l = ein Liter	ein Becher Sahne		

E Mein Lieblingsessen

E1 Wo sind die Leute? Ordnen Sie zu.

Zu Hause _1,_

Im Restaurant _____

In der Mensa _____

1 ◀)) 64-67 **E2 Was essen oder trinken die Personen?**

a Hören Sie und kreuzen Sie an.

1 ○ Steak und Salat

○ Spaghetti und Tomatensoße

2 ○ Hähnchen und Pommes

○ Pizza

3 ○ Wasser und Wein

○ Cola und Wasser

4 ○ Fisch und Gemüsesuppe

○ Salat

ich	esse
du	isst
er/sie	isst

b Hören Sie noch einmal. Was ist richtig? Kreuzen Sie an.

1 ○ Sabine isst gern Fleisch.

2 ○ Carlos Lieblingsessen ist Hähnchen mit Pommes.

3 ○ Leonie hat Durst.

4 ○ Frau Gärtner hat Hunger.

E3 Mein Lieblingsessen

a Lesen Sie die Texte auf Seite 41 und ergänzen Sie die Tabelle.

	Jens	Hisako	Hans
isst gern	Kartoffelpuffer		
trinkt gern			

b Sie möchten die Gerichte von Jens, Hisako und Hans auch kochen.
Lesen Sie die Rezepte noch einmal und notieren Sie.

1 a Wie viele Kartoffeln brauchen Sie für vier Portionen Kartoffelpuffer? _____

b Kartoffelpuffer schmecken mit _Apfelmus_ .

2 a Wie viel Gemüsebrühe brauchen Sie für Hisakos Gemüsesuppe? _____

b In Hisakos Suppe ist viel Gemüse, Gemüsebrühe und _____ .

3 a Wie viele Äpfel brauchen Sie für Apfelstrudel? _____

b Wie viele Eier brauchen Sie? _____

Kategorie   **Mein Lieblingsessen** ⬍

Hallo! Ich bin Jens. Ich komme aus Norddeutschland, aus Emden. Mein Lieblingsessen ist Kartoffelpuffer mit Apfelmus.
5 Das Rezept ist typisch deutsch und ganz einfach. Für vier Portionen brauchst du nur ein

Kilo Kartoffeln, eine große Zwiebel, zwei Eier, etwas Salz
10 und ein bisschen Öl. Dazu etwas Apfelmus. Fertig! Hmm, das schmeckt so gut! Dazu trinke ich Wasser oder ein Glas Bier.

Jens, Emden

15 Guten Tag! Mein Name ist Hisako Yokoyama. Ich studiere in Berlin und bin Vegetarierin. Mein Lieblingsessen ist Gemüsesuppe. Es gibt viele Rezepte.
20 Das hier zum Beispiel. Mein Einkaufszettel: drei Zwiebeln,

ein Kohlrabi, zwei Paprikaschoten, drei Tomaten, vier Karotten, drei Liter Gemüse-
25 brühe, Salz und Pfeffer. Das reicht für drei oder vier Tage und es ist nicht teuer. Dazu trinke ich Wasser oder Tee.

Hisako, Berlin

Grüß Gott! Ich heiße Hans
30 Hofmann. Ich komme aus Österreich, aus Klagenfurt. Mein Lieblingsessen ist Wiener Apfelstrudel. Sie brauchen dafür: 250 g Mehl, 1 Ei, etwas

35 Wasser, 250 g Butter, 100 g Zucker, ein Kilo Äpfel, 50 g Nüsse, 50 g Rosinen, 30 g Staubzucker und etwas Öl. Das schmeckt sehr, sehr gut!
40 Dazu trinke ich Kaffee oder Tee.

Hans, Klagenfurt

E4 Was essen Sie und trinken Sie gern?

a Sprechen Sie im Kurs.

Was isst du / essen Sie gern?	*Mein Lieblingsessen ist …* *Das schmeckt/ist sehr gut./lecker.*
Was trinkst du / trinken Sie gern?	*Ich trinke (sehr) gern …*
Isst du / Essen Sie gern …?	*Ja, sehr. / total gern.* *Nein, nicht so gern.*
Trinkst du / Trinken Sie gern …?	*… ist mein Lieblingsgetränk.*

😊 gern

😖 nicht gern

Mein Lieblingsessen ist Pizza.

Ich esse gern Fleisch, zum Beispiel Steak mit Kartoffeln. Und ich trinke gern Bier.

Pizza Margherita
Pizzateig (fertig)
200 g Mozzarella-Käse
…

b Was brauchen Sie für Ihr Lieblingsessen? Schreiben Sie eine Liste.

Grammatik und Kommunikation

Grammatik

1 Artikel: indefiniter Artikel und Negativartikel ⓊⒼ 2.01–2.03

	indefiniter Artikel	Negativartikel
	Das ist ...	
Singular	• ein Apfel.	• kein Apfel.
	• ein Ei.	• kein Ei.
	• eine Schokolade.	• keine Schokolade.
	Das sind ...	
Plural	• – Äpfel.	• keine Äpfel.

ein → Kein
ein → ein
eine → eine
/ → keine

2 Nomen: Singular und Plural ⓊⒼ 1.02

Singular	Plural
• ein Apfel	• Äpfel
• ein Kuchen	• Kuchen
• ein Brot	• Brote
• ein Ei	• Eier
• eine Banane	• Bananen
• eine Kiwi	• Kiwis

Was kaufen Sie oft? Was kaufen Sie nie? Notieren Sie.

Ich kaufe nie:
Würstchen ...

Ich kaufe oft:
Äpfel ...

3 Ja-/Nein-Frage ⓊⒼ 10.03

Frage			Antwort
Position 1			
Haben	wir	Zucker?	Ja.
Brauchst	du	Reis?	Nein.

Wir haben Zucker.

Haben wir Zucker?

4 Fragen: Ja-/Nein-Frage und W-Frage ⓊⒼ 10.03

Frage			Antwort
	Position 2		
Was	brauchen	Sie?	Eier.
Brauchen	Sie	Salz?	Ja./Nein.

5 Verb: Konjugation ⓊⒼ 5.01

essen	
ich	esse
du	isst
er/sie	isst
wir	essen
ihr	esst
sie/Sie	essen

Was isst Ihre Familie gern? Schreiben Sie.

Meine Mutter isst gern Souflaki. ...

Kommunikation

NACHFRAGEN: Wie heißt das auf Deutsch?

Was ist das? / Das ist doch kein Ei.   *Das ist eine Orange.*
Wie heißt das auf Deutsch?   *(Das ist ein) Apfel.*

BEIM EINKAUFEN: Was kostet ein Kilo Orangen?

Ich brauche Eier. / Haben Sie Eier?
Was / Wie viel kostet ein Kilo Orangen?   *Ein Kilo Orangen kostet*
                                            2 Euro 50, bitte.
Was / Wie viel kosten 100 Gramm Käse?   *2 Euro 45.*
Sonst noch etwas?   *Ja, bitte. / Nein, danke.*

MENGENANGABEN: ein Liter Milch

100 Gramm Käse | eine Flasche Saft | ein Liter Milch
ein Pfund Brot | eine Packung Tee | ein Becher Sahne
ein Kilo Orangen | eine Dose Tomaten

PREISE: ein Euro zehn

0,10 € = zehn Cent | 1,00 € = ein Euro | 1,10 € = ein Euro zehn

ÜBER ESSEN UND TRINKEN SPRECHEN: Ich trinke gern Saft.

Ich habe Durst./Hunger.
Was trinkst du / trinken Sie gern?   *Ich trinke (sehr) gern Saft. /*
                                         Cola ist mein Lieblingsgetränk.
Was isst du / essen Sie (nicht) gern?   *Hähnchen. / Ich esse (nicht) gern*
                                         Fleisch.
Trinkst du / Trinken Sie gern Saft?   *Nein, nicht so gern. / Ja, sehr/*
                                         total gern.
Das schmeckt/ist sehr gut./lecker.

STRATEGIEN: Ja, natürlich.

Ja, natürlich. | Nein, tut mir leid. | Hier, bitte.

Schreiben Sie Fragen
und Antworten.
Meine Frage: *Was ist das* ?
Antwort: *Das ist ...* .
Meine Frage: _____ ?
Antwort: _____ .

Mathematik auf Deutsch. Machen
Sie Übungen (für Ihre Partnerin /
Ihren Partner).

*1 Kilo Bananen kostet
2 Euro 20. Wie viel
kosten 3 Kilo Bananen?*

Schreiben Sie Ihren Einkaufszettel
für das Wochenende.

*5 Flaschen Wasser
3 Becher Joghurt
...*

Mein Lieblingsessen:
...
Mein Lieblingsgetränk:
...

Sie möchten noch mehr üben?

1 | 68-70
AUDIO-
TRAINING

VIDEO-
TRAINING

Lernziele

Ich kann jetzt ...

A ... nach einem Wort fragen: *Wie heißt das auf Deutsch?* _____ ☺ ☺ ☹
B ... Mengen nennen: *zwei Bananen, ein Kilo Kartoffeln ...* _____ ☺ ☺ ☹
C ... einen Einkaufszettel schreiben: *Käse, Tee, Eier ...* _____ ☺ ☺ ☹
D ... Preise und Mengen von Lebensmitteln sagen und verstehen:
     Was kosten 100 Gramm Käse? – 2,45 €. _____ ☺ ☺ ☹
E ... sagen: *Das esse/trinke ich gern: Mein Lieblingsessen ist Pizza.* _____ ☺ ☺ ☹
     ... ein einfaches Rezept lesen. _____ ☺ ☺ ☹

Ich kenne jetzt ...

... 8 Obst- und Gemüsesorten:

Tomate, ...

... 5 Mengenangaben:

Kilogramm, Becher, ...

Zwischendurch mal ...

PROJEKT

Das Lebensmittel-Alphabet

Sammeln Sie Lebensmittel
von A bis Z. Arbeiten Sie auch
mit dem Wörterbuch.

A prikose

B

C   K   S

D   L   T

E   M   U

F   N   V

G   O   W

H   P   X

I   Q   Y

J   R   Z

FILM

Opas Kartoffelsalat

1 Sehen Sie den Film an. Was braucht Frau Hagen?
Ergänzen Sie den Einkaufszettel.

2 Was meinen Sie? Ist Opas Kartoffelsalat gut?

2 K ... ... Kartoffeln

... Salatgurke

1 Glas saure Gurken

1 Bund Frühlingszwiebeln

... Knoblauchzehe

1 Glas Mayonnaise

1 B ... ... Joghurt

W ... ... und Essig

S ... ... und Pfeffer

Gerichte aus Deutschland, Österreich und der Schweiz

1 Kennen Sie Gerichte aus Deutschland, aus Österreich oder aus der Schweiz? Sammeln Sie im Kurs.

> Österreich: Kaiserschmarrn, ...
> Schweiz: Rösti, ...
> Deutschland:

2 Stellen Sie die Gerichte im Kurs vor.

1 Lesen Sie den Comic.

2 Schreiben Sie die Geschichte neu.

Käsebrötchen   Wurstbrötchen   Fischbrötchen   Kuchen   Hunger

Meine Wohnung

Folge 4: Ach so!

1 Sehen Sie die Fotos an.

a Was meinen Sie? Wo sind Tim und Lara?   ○ in Laras Wohnung   ○ in Tims Wohnung

b Zeigen Sie.   • eine Lampe   • ein Zimmer   • eine Küche   • ein Bad

c Was meinen Sie? Kreuzen Sie an.

1 Die Lampe ist	2 Das Bad ist	5 Die Küche ist
✗ alt. ○ neu.	○ groß. ○ klein.	○ schön.
3 Laras Zimmer ist	4 Laras Zimmer ist	○ hässlich.
○ hell. ○ dunkel.	○ teuer. ○ billig.	

Laras Film

1 ◀)) 71-78   **2 Hören Sie und vergleichen Sie.**

1 ◀)) 71-78   **3 Was ist richtig? Hören Sie noch einmal und kreuzen Sie an.**

    a ○ Walter hat eine Lampe für Lara.
    b ○ Walter kennt Tim.
    c ○ Lara, Sofia und Lili wohnen zusammen.
    d ○ Laras Zimmer ist groß, hell und teuer.
    e ○ Tims Zimmer ist dunkel, hässlich und teuer.
    f ○ Walter wohnt auch in der Wohnung.
    g ○ Sofia ist die Tochter von Walter und die Mutter von Lara.

A **Das Bad** ist dort.

A1 Sofias Traumwohnung

Ordnen Sie zu.

- ◯ • das Schlafzimmer
- ◯ • das Bad
- ◯ • der Flur
- ◯ • das Arbeitszimmer
- ◯ • die Küche
- 10 Laras Zimmer
- ◯ • das Kinderzimmer
- ◯ • die Toilette
- ◯ • der Balkon
- ◯ • das Wohnzimmer

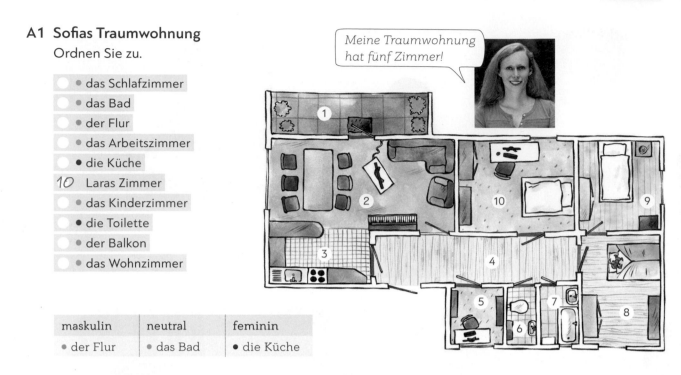

Meine Traumwohnung hat fünf Zimmer!

maskulin	neutral	feminin
• der Flur	• das Bad	• die Küche

A2 Das ist das Haus.

1 🔊 79 a Hören Sie das Gespräch und ergänzen Sie *der*, *das* oder *die*.

indefiniter Artikel		definiter Artikel
ein Balkon	→	• der Balkon
ein Bad	→	• das Bad
eine Küche	→	• die Küche

- ◆ Das ist _das_ Haus. Schön, nicht?
- ◎ Na ja. Schön und teuer.
  Sagen Sie mal, ist hier auch ein Arbeitszimmer?
- ◆ Ja, natürlich! _____ Arbeitszimmer ist dort.
- ▲ Und ist hier auch eine Küche?
- ◆ Natürlich. Hier ist _____ Flur.
  Und dort ist _____ Küche.

b Spielen Sie weitere Gespräche.

• das Schlafzimmer • die Küche • das Bad • die Toilette • der Balkon ...

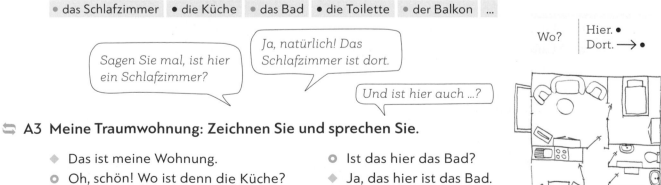

Sagen Sie mal, ist hier ein Schlafzimmer?

Ja, natürlich! Das Schlafzimmer ist dort.

Und ist hier auch ...?

Wo?	Hier. •
	Dort. → •

⇆ A3 Meine Traumwohnung: Zeichnen Sie und sprechen Sie.

- ◆ Das ist meine Wohnung.
- ◎ Oh, schön! Wo ist denn die Küche?
- ◆ Hier.
- ◎ Ist das hier das Bad?
- ◆ Ja, das hier ist das Bad.

1 ◀)) 80 **B1 Was ist richtig? Hören Sie und kreuzen Sie an.**

◆ Das Zimmer ist ✗ sehr ○ nicht schön. Aber es ist teuer, oder?

○ Nein. Das Zimmer ist ○ sehr ○ nicht teuer.
Es kostet 150 Euro.

◆ 150 Euro? Du, das ist aber ○ sehr ○ nicht billig.
Mein Zimmer kostet 350 Euro im Monat.

	teuer.
Das Zimmer ist	sehr teuer.
	nicht teuer.

Personalpronomen		
● der Balkon	→	er
● das Bad	→	es
● die Wohnung	→	sie

B2 Eine neue Wohnung

a Lesen Sie die Nachrichten und markieren Sie wie im Beispiel.

b Lesen Sie die Nachrichten und ergänzen Sie *er, es* oder *sie*.

> Hallo Felix, wie ist die neue Wohnung?

> Nicht so schön. Sie ist groß, aber sehr dunkel.

> Und das Bad?

> Es ist klein und auch dunkel. ☹

> Ist dort auch ein Flur?

> Ja. Er ist sehr klein.

> Und? Wie ist dein Zimmer in Leipzig?

> .... ist klein, aber sehr hell. Der Balkon ist schön. .... ist sehr groß.

> Was, ein Zimmer mit Balkon? Super!

> Die Küche ist aber nicht so schön. .... ist klein und hasslich.

⇆ **B3 Partnerspiel: Wo wohne ich? Raten Sie.**

◆ Wo wohne ich? Mein Haus ist sehr schmal.
Es ist nicht teuer. Und es ist schön.

○ Ist es hell?

◆ Nein, es ist dunkel.

○ Wohnst du in Haus D?

◆ Ja, richtig.

neu	↔	alt	breit	↔	schmal
billig	↔	teuer	schön	↔	hässlich
groß	↔	klein	hell	↔	dunkel

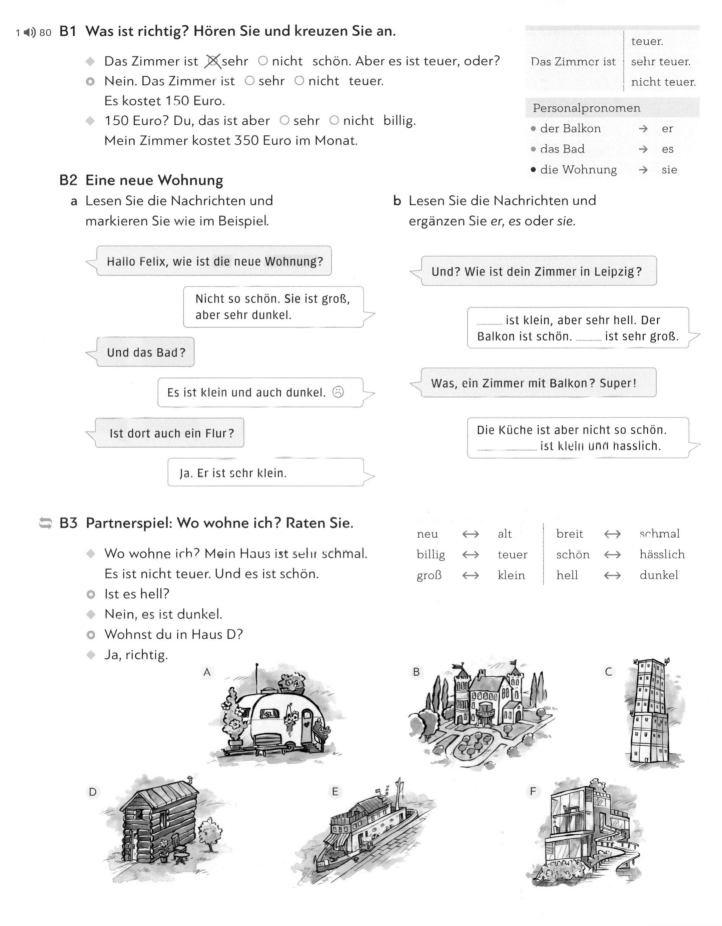

C Die **Möbel** sind sehr schön.

C1 Was ist was? Ordnen Sie zu und ergänzen Sie.

- die Lampe
- der Schrank
- der Kühlschrank
- das Sofa
- der Tisch
- der Stuhl
- das Bett
- die Waschmaschine
- der Fernseher
- die Dusche
- der Herd
- die Badewanne
- das Waschbecken
- der Teppich
- das Regal
- der Sessel

Möbel	Elektrogeräte	das Bad
3 der Schrank	1 die Lampe	9 die Dusche

C2 Wie gefallen dir ...?

a Hören Sie und ergänzen Sie *der*, *das* oder *die*.

◆ Hier sind Stühle und Tische.
Wie gefallen Ihnen denn _die_ Stühle?

○ Sehr gut. Die Farbe ist sehr schön.

▲ Das finde ich auch. Und hier – wie gefällt dir _____ Tisch?

○ Nicht so gut. Er ist sehr groß.
Aber hier, wie gefällt dir _____ Teppich?

▲ Gut. Er ist sehr schön.

○ Schau mal! Wie gefällt dir _____ Lampe dort?

▲ Ganz gut. Sie ist sehr modern!
Sagen Sie, wo sind denn _____ Betten?

◆ Sie sind dort.

▲ Ah ja, danke.

◆ Schauen Sie, hier. Wie gefällt Ihnen _____ Bett hier?

○ Es geht.

Singular	Plural	
der Stuhl		Stühle
der Tisch → • die/zwei		Tische
–		Möbel

Wie gefällt dir/Ihnen der Tisch?
Wie gefallen dir/Ihnen die Betten?

b Markieren Sie in a und ergänzen Sie.

☹ ☺ ☺ ☺☺

_____   _____   *ganz gut / sehr gut*

c Sehen Sie die Möbel in C1 an und sprechen Sie.

Wie gefallen dir denn die Stühle?
Sehr gut. Sie sind sehr modern.

Wie gefällt dir der Teppich?
Nicht gut. Er ist hässlich.

⇄ C3 In Ihrer Wohnung

Sprechen Sie mit Ihrer Partnerin /
Ihrem Partner über Ihre Möbel.

◆ Mein Kühlschrank ist dunkelrot.
Und dein Kühlschrank?

○ Mein Kühlschrank ist weiß.
Meine Stühle sind schwarz.
Und deine ...?

◆ Meine ...

schwarz
grau
weiß   braun
grün   blau
rot
gelb

hell   ↔   dunkel
hellrot ● ↔ dunkelrot ●

einundfünfzig **51** LEKTION 4

D Wohnungsanzeigen

1 ◀)) 82 **D1 Hören Sie und sprechen Sie nach.**

100	**200**	**300**	**400**	**500**	**600**	**700**
(ein-)hundert	zweihundert	dreihundert	vierhundert	fünfhundert	sechshundert	siebenhundert

800	**900**	**1.000**	**10.000**	**100.000**	**1.000.000**
achthundert	neunhundert	tausend	zehntausend	hunderttausend	eine Million

1 ◀)) 83-85 **D2 Was ist richtig? Hören Sie und kreuzen Sie an.**

1 Was kostet
das Sofa?

- ○ 92 €
- ○ 299 €
- ○ 2.099 €

2 Wie ist die
Telefonnummer?

- ○ 708 101 📞
- ○ 107 801 📞
- ○ 701 108 📞

3 Wie groß ist das
Kinderbett?

- ○ 60 cm x 120 cm
- ○ 60 cm x 160 cm
- ○ 160 cm x 120 cm

1 cm = ein Zentimeter

60 x 120 cm = sechzig mal
hundertzwanzig Zentimeter

D3 Diktieren Sie Ihrer Partnerin / Ihrem Partner. Sie/Er schreibt.

*Meine Nummer
zu Hause ist ...*

Meine Handynummer ist ...

*Meine Nummer
bei der Arbeit ist ...*

D4 Lesen Sie die Anzeigen und markieren Sie in zwei Farben.

Wie groß ist die Wohnung?
Was kostet sie im Monat?

A

Nettes Ehepaar mit Kind
sucht eine **3-4-Zimmer-
Wohnung mit Garten
für 1 Jahr, bis 1.100,– €
warm**, Tel. 0179/770 22 61

1 qm / 1 m² =
ein Quadratmeter

B **Vermiete Apartment,
36 m²**, großer Wohn-
raum, neue Küche,
440,– €, Nebenkosten
60,– €, 3 Monatsmieten
Kaution, Tel. 23 75 95

D !! Frau (35 Jahre) sucht ab sofort
2-Zi.-Whg. mit Balkon in Germering
bis **max. 750 € Warmmiete**. Ich
freue mich auf Ihren Anruf unter
Telefon 0175 / 657 80 57 37 !!

C **Super:** 3-Zimmer-Wohnung,
13. Stock, ca. 60 m², Küche,
Bad, **von privat**, 950 Euro,
Tel. 08161/88 75 80, ab 19 Uhr

E Schöne möblierte
1-Zi.-Wohnung,
ca. 33 m², Balkon,
TV, Einbauküche,
588,– € + Garage,
Tel. 0179/201 45 93

D5 Sie suchen eine Wohnung. Welche Anzeige passt? Ordnen Sie zu.

a Sie möchten eine Wohnung mit Balkon. ..... E

b Sie möchten nur 400 bis 500 Euro Miete bezahlen. .....

c Sie brauchen drei Zimmer. .....

SCHON FERTIG? Sie suchen
eine Wohnung. Schreiben
Sie eine Anzeige.

E1 Schreibtische

Sehen Sie die Bilder an und zeigen Sie.

• die Bücher • der Stift • die Hefte • das Tablet • der Computer • das Tagebuch
• die Schreibtischlampe

E2 Welcher Schreibtisch passt zu welcher Person?

a Lesen Sie und ordnen Sie zu.

A   B   C

Anita Feldstein

Mein Schreibtisch ist aus Holz, er ist dunkelbraun und nicht teuer. Er ist nicht besonders groß, ungefähr einen Meter lang, 60 Zentimeter breit und 70 Zentimeter hoch. Aber ich brauche auch gar nicht so viel Platz. Ein paar Bücher, ein paar Stifte, eine Schreibtischlampe, ein Tablet, das ist alles. Gut ist: Ich finde alles. Bei mir ist nämlich Ordnung. Meine Schreibtischlampe ist grau.

Ⓐ Tom Sommer

Mein Schreibtisch ist groß. Ich brauche nämlich viel Platz. Es gibt jede Menge Sachen. Die liegen kreuz und quer. Mein Computer ist groß und ich habe viele Hefte. Der Schreibtisch ist ziemlich voll. Naja, wirklich schön ist er nicht. Aber das ist egal. Ich schreibe nicht viel.

Nicole Rauch

Ich liebe meinen Schreibtisch. Er ist sehr wichtig für mich. Ich mache da immer meine Hausaufgaben und schreibe mein Tagebuch. Der Schreibtisch ist wirklich sehr schön. Er ist braun und ich glaube, er ist schon sehr alt. Die Schreibtischlampe ist rot und sie ist sehr hell. Besonders schön ist mein Schreibtischstuhl: Er ist blau.

b Lesen Sie noch einmal. Welche Sätze sind richtig? Kreuzen Sie an.

1 ☒ Anitas Tisch ist dunkelbraun.
2 ○ Sie hat ein Tagebuch.
3 ○ Toms Schreibtisch ist nicht klein.

4 ○ Tom hat nur einen Computer.
5 ○ Nicoles Schreibtisch ist neu und modern.
6 ○ Der Schreibtisch gefällt Nicole.

c Schreiben Sie die falschen Sätze neu.

E3 Mein Schreibtisch

Wie groß ist Ihr Schreibtisch? Welche Farbe hat er?
Was ist auf dem Schreibtisch? Schreiben Sie.

Mein Schreibtisch ist nicht sehr groß. Aber er ist schön. Er ist ...

Grammatik und Kommunikation

Grammatik

1 Definiter Artikel ÜG 2.01, 2.02

		definiter Artikel
Singular	Hier ist	• der Balkon.
	Hier ist	• das Bad.
	Hier ist	• die Küche.
Plural	Hier sind	• die Kinderzimmer.

TIPP

Notieren Sie Wörter immer mit *der, das, die* und mit Farbe.

• *das Bad*

der → er

das → es

die → sie

2 Personalpronomen ÜG 3.01

		Personalpronomen	
	Wo ist ...		
Singular	• der Balkon?	Er ist dort.
	• das Bad?	Es ist dort.
	• die Küche?	Sie ist dort.
	Wo sind ...		
Plural	• die Kinderzimmer?	Sie sind dort.

3 Negation ÜG 9.01

Der Stuhl ist nicht schön.
Walter wohnt nicht hier.
Sie haben keine Möbel.

Kommunikation

GEFALLEN / MISSFALLEN: Wie gefällt dir / Ihnen der Tisch?

Wie gefällt dir/Ihnen der Tisch?	*Sehr gut.*
Wie gefallen dir/Ihnen die Betten?	*Gut.*
	Ganz gut.
	Es geht.
	Nicht so gut.

Schreiben Sie ein Gespräch.

○ *Wie gefällt Ihnen ...*
◇ *...*

NACH DEM ORT FRAGEN: Wo ist die Küche?

Wo ist denn die Küche?	*Hier. / Dort.*
Ist hier auch ein Arbeitszimmer?	*Ja. Dort. / Das Arbeitszimmer ist hier/dort.*
Ist das hier das Bad?	*Ja, das hier ist das Bad.*

BESCHREIBEN: Wie ist dein Zimmer?

Wie ist dein Zimmer?	*Es ist teuer. / nicht teuer. / sehr teuer.*
Wie lang/breit/hoch/... ist der Tisch?	*Ungefähr/Genau zwei Meter.*
Wie groß ist das Bett?	*Sechzig mal hundertzwanzig Zentimeter.*
Welche Farbe hat der Tisch?	*Er ist dunkelbraun.*

STRATEGIEN: Sagen Sie mal, ...

Sagen Sie mal, ... / Sag mal, ... | *Ja, richtig.*
..., nicht? | *..., oder?* | *..., richtig?*
Oh, ... | *Also, ...* | *Was?!*
Schau mal! / Schauen Sie mal! | *Ah ja, danke.*

Wie ist Ihr (Traum-)Zimmer / Ihre (Traum-)Wohnung? Schreiben Sie.

Ich habe ein Zimmer und eine Küche. Das Zimmer ist nicht groß ...

Sie möchten noch mehr üben?

1 | 86–88
AUDIO-TRAINING

VIDEO-TRAINING

Lernziele

Ich kann jetzt ...

A ... Zimmer benennen:
  Das ist meine Wohnung. Das ist die Küche. _____ ☺ ☺ ☹

B ... Häuser und Wohnungen beschreiben:
  Das Haus ist sehr schmal. Die Wohnung ist nicht teuer. _____ ☺ ☺ ☹

C ... sagen: Das gefällt mir (nicht):
  Die Stühle sind (nicht) schön. _____ ☺ ☺ ☹

D ... bis eine Million zählen:
  tausend, zehntausend, hunderttausend, eine Million _____ ☺ ☺ ☹

  ... Wohnungsanzeigen verstehen:
  Schöne möblierte 1-Zi.-Wohnung ... _____ ☺ ☺ ☹

E ... einen Text lesen und Möbel beschreiben:
  Mein Schreibtisch ist nicht sehr groß. _____ ☺ ☺ ☹

Ich kenne jetzt ...

... 5 Zimmer:

das Arbeitszimmer, ...

_____

... 5 Möbelstücke:

der Schrank, ...

_____

SCHREIBEN

Zimmer frei!

1 Lesen Sie die Anzeige und korrigieren Sie die Sätze 1–4.

Bitte kein Messie!

Bitte kein Raucher!

Hallo Leute! Wer sucht ein Zimmer?

Ab Juli ist bei mir in der Wohnung ein Zimmer frei. Das Zimmer ist 21 Quadratmeter groß. Es ist hell und ruhig und billig. Ja, wirklich: Es kostet nur 280 Euro im Monat! Die Möbel sind schon da: ein Bett, ein Schrank, ein Schreibtisch, ein Tisch und zwei Stühle. Die Küche, der Balkon und das Bad sind für uns beide. Im Bad sind eine Toilette und eine Dusche.

Tel. 01213/22 22 22

Tel. 01213/22 22 22

Tel. 01213/22 22 22

Tel. 01213/22 22 22

Tel. 01213/22 22 22

1 Das Zimmer ist ~~280~~ Quadratmeter groß.
   21 Quadratmeter

2 Es ist hell, ruhig und teuer.

3 Das Zimmer ist möbliert: ein Bett, ein Schrank, ein Schreibtisch, ein Tisch und drei Stühle.

4 Das Bad hat eine Badewanne.

2 Schreiben Sie eine Anzeige für Ihr Zimmer.

Das Zimmer ist 6 m² groß.
☹ Es ist sehr klein.
☺ Es ist ruhig und billig. Es kostet ...

PROJEKT

Mein Traumhaus

1 Suchen Sie Fotos von Ihrem Traumhaus im Internet.

2 Zeigen Sie Ihre Fotos Ihrer Partnerin / Ihrem Partner und sprechen Sie.

Das Haus hier ist schön.
Es ist modern ...

Das ist die Küche.

1 Sehen Sie den Film an. Welche Zimmer sehen Sie? Notieren Sie.

Küche,

2 Lesen Sie den Liedtext und sehen Sie den Film noch einmal an.
Singen Sie mit und machen Sie die Bewegungen.

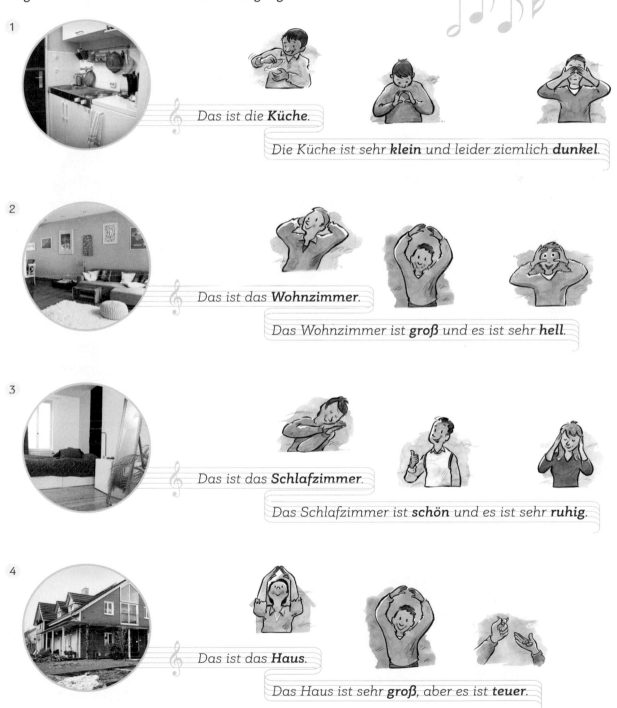

1 Das ist die **Küche**.

Die Küche ist sehr **klein** und leider ziemlich **dunkel**.

2 Das ist das **Wohnzimmer**.

Das Wohnzimmer ist **groß** und es ist sehr **hell**.

3 Das ist das **Schlafzimmer**.

Das Schlafzimmer ist **schön** und es ist sehr **ruhig**.

4 Das ist das **Haus**.

Das Haus ist sehr **groß**, aber es ist **teuer**.

Mein Tag

Folge 5: Von früh bis spät

1 Sehen Sie die Fotos an. Wo ist Lara auf Foto 1 und 8?
Was macht sie? Kreuzen Sie an.

a ○ Sie ist im Kurs.   b ○ Sie ist die Lehrerin.
   ○ Sie ist zu Hause.   ○ Sie macht eine Präsentation.

2 ◀)) 1-8   **2** Sehen Sie die Fotos an und hören Sie. Was macht Lara?
Schreiben Sie die Wörter auf Zettel. Was passt? Legen Sie die Zettel zu den Fotos.

frühstücken   einkaufen   Musik hören

kochen   spazieren   eine Präsentation
            gehen   machen

aufräumen   aufstehen   Deutschkurs haben

Laras Film

2 ◀)) 1-8 **3 Wer macht das? Hören Sie noch einmal und verbinden Sie.**

steht um Viertel nach sieben auf.
frühstücken zusammen.
räumt die Küche auf.
Lara ——— geht zum Deutschkurs.
Sofia geht am Nachmittag spazieren oder kauft ein.
Lara, Sofia und Lili kocht das Abendessen.
arbeitet sehr viel und ist am Abend müde.
essen zusammen.
ruft ihre Familie an.

**4 Was machen Sie auch jeden Tag? Nehmen Sie die passenden Zettel aus 2
und vergleichen Sie mit Ihrer Partnerin / Ihrem Partner.**

A Ich **räume** mein Zimmer **auf.**

A1 Was macht Lara? Hören Sie und ordnen Sie.

○ Sie kocht das Abendessen.

① Lara steht früh auf.

○ Sie kauft im Supermarkt ein.

○ Sie ruft ihre Familie an.

○ Sie räumt die Küche auf.

○ Sie sieht fern.

✂	✂	
auf⏐stehen	ein⏐kaufen	ich sehe fern
Lara steht früh auf.	Lara kauft im Supermarkt ein.	du siehst fern
		er/sie sieht fern

A2 Sofias Tag: Sprechen Sie mit Ihrer Partnerin / Ihrem Partner.

> *Sofia steht früh auf.*

> *Sie frühstückt ...*

früh aufstehen	mit Lara und Lili frühstücken	zur Arbeit gehen
lange arbeiten	mit Lili spielen	im Supermarkt einkaufen
mit Lara und Lili essen	die Wohnung aufräumen	
ein bisschen fernsehen	ins Bett gehen	

A3 Partnerinterview

a Schreiben Sie sechs Beispiele:
Was machen Sie gern?
Was machen Sie nicht gern?

☹ *früh aufstehen*
☺ *arbeiten*
...

ich	arbeite
du	arbeitest
er/sie	arbeitet

b Tauschen Sie die Zettel. Fragen Sie Ihre Partnerin / Ihren Partner und antworten Sie.

◆ Stehst du gern früh auf?
○ Nein. Ich stehe nicht gern früh auf. Und du?

◆ Ich stehe gern früh auf. Arbeitest du gern?
○ Ja, ich arbeite gern.

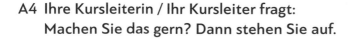

Stehst du gern früh auf ?

**A4 Ihre Kursleiterin / Ihr Kursleiter fragt:
Machen Sie das gern? Dann stehen Sie auf.**

🔄 **A5 Mein Tag**

📱 Machen Sie Fotos von Ihrem Tag und zeigen Sie die Fotos im Kurs. Sprechen Sie.

> *Wer kauft gern im Supermarkt ein?*

2 ◄)) 10 **B1 Hören Sie und spielen Sie weitere Gespräche.**

◆ Wie spät ist es jetzt? Ist es schon zwölf?

○ Nein. Es ist erst Viertel vor zwölf.

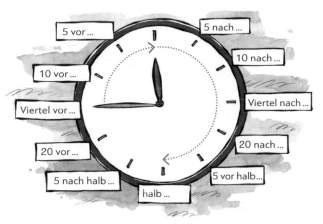

Man schreibt:	Man sagt:
01.00 Uhr / 13.00 Uhr	ein Uhr / eins
01.15 Uhr / 13.15 Uhr	Viertel nach eins
01.30 Uhr / 13.30 Uhr	halb zwei
01.45 Uhr / 13.45 Uhr	Viertel vor zwei

2 ◄)) 11-14 **B2 Uhrzeiten**

a Hören Sie und ordnen Sie zu.

Gespräch	1	2	3	4
Bild	B			

b Hören Sie noch einmal. Zeichnen Sie und schreiben Sie die Uhrzeit.

zwanzig vor neun

B3 Wie spät ist es? Ergänzen Sie.

a 06:58 kurz vor sieben / gleich ...   d 11:59 _____

b 09:57 _____   e 12:04 _____

c 10:02 _____

🔁 **B4 Zeichnen Sie vier Uhrzeiten.**
Fragen Sie Ihre Partnerin / Ihren Partner: Wie spät ist es?

11.58 Uhr	(Es ist) Kurz vor zwölf. / Gleich zwölf.
12.03 Uhr	(Es ist) Kurz nach zwölf.

C **Wann** fängt der Deutschkurs an?

2 ◀) 15 **C1 Welchen Deutschkurs besucht Lara?**

a Hören Sie und markieren Sie im Kursprogramm.

DEUTSCH-INTENSIV- UND ABENDKURSE
Montag bis Freitag 08.30 – 12.15 Uhr (25 Unterrichtsstunden)
Montag bis Freitag 08.30 – 12.00 Uhr und 12.30 – 15.00 Uhr (40 Unterrichtsstunden)
Montag bis Donnerstag 18.15 – 20.30 Uhr (12 Unterrichtsstunden)
Montag/Mittwoch oder Dienstag/Donnerstag 18.15 – 20.30 Uhr (6 Unterrichtsstunden)

b Wann ist der Kurs? Hören Sie noch einmal und ordnen Sie in der Tabelle zu.

Bis   Bis   Um   Von   Von   ~~Am~~

Temporale Präpositionen		
Wann?	_Am_	Montag.
	_____	halb neun.
	_____	halb neun _____ drei (Uhr).
	_____	Montag _____ Freitag.

2 ◀) 16 **C2 Hören Sie und spielen Sie weitere Gespräche.**

◆ Ich mache am Freitag eine Party. Hast du Zeit?

○ Am Freitag? Ich spiele von fünf bis sechs Fußball. Da habe ich keine Zeit. Wann fängt die Party denn an?

◆ Um sieben Uhr.

○ Das passt gut. Ich komme gern.

ich	fange an
du	fängst an
er/sie	fängt an

ich	schlafe
du	schläfst
er/sie	schläft

C3 Tims Woche: Sprechen Sie mit Ihrer Partnerin / Ihrem Partner.

Montag	Dienstag	Mittwoch	Donnerstag	Freitag	Samstag	Sonntag
8.30–15.00 Uhr Deutschkurs	8.30–15.00 Uhr Deutschkurs	8.30–15.00 Uhr Deutschkurs	8.30–15.00 Uhr Deutschkurs	8.30–15.00 Uhr Deutschkurs	11.00–12.00 Uhr Zimmer aufräumen	lange schlafen! ☺
12.00 Uhr mit Lara spazieren gehen	17.00 Uhr Fußball spielen	16.00 Uhr Hausaufgaben machen	18.00 Uhr Mama und Papa anrufen	19.00 Uhr einkaufen	18.30 Uhr mit Lara kochen	20.15 Uhr fernsehen

◆ Wann spielt Tim Fußball? ○ Um wie viel Uhr geht er ...?

○ Am Dienstag um fünf Uhr. ◆ Um ... Uhr.

am Samstag + am Sonntag = am Wochenende

⇆ **C4 Partnerinterview**

Schreiben Sie sechs Fragen. Fragen Sie und antworten Sie.

Wann lernst du Deutsch?

Von Montag bis Freitag von acht bis fünf Uhr.

Und wann siehst du fern?

SCHON FERTIG? Schreiben Sie Ihren Terminkalender für nächste Woche auf Deutsch.

D Tageszeiten

D1 Ordnen Sie zu. ~~am Mittag~~   am Morgen   am Abend   am Nachmittag

_____   am Vormittag   *am Mittag*   _____   _____   in der Nacht

D2 Roberts Samstag

2 ◀)) 17   **a** Was sagt Robert? Hören Sie das Gespräch und verbinden Sie.

Temporale Präpositionen	
Wann?	Am Vormittag. ⚠ In der Nacht.

1 Am Morgen   geht er ins Kino.
2 Am Vormittag   geht er spazieren.
3 Am Mittag   frühstückt Robert.
4 Am Nachmittag   isst er mit Nina.
5 Am Abend   räumt er auf, kauft ein und kocht.
6 In der Nacht   macht er Sport.

b Was macht Robert wirklich? Ordnen Sie zu und schreiben Sie.

◯ Kaffee trinken   ◯ chatten
◯ Pizza essen   ◯ fernsehen   A Musik hören
◯ Computerspiele spielen

Robert macht *am Nachmittag* Sport.
Am Nachmittag macht Robert Sport.

A Am Morgen hört
   Robert Musik.
B Am Vormittag ...
C Am Mittag ...
D Am Nachmittag ...
E Am Abend ...
F In der Nacht ...

⇆ **D3 Spiel: *Ihr Tag.* Schreiben Sie vier Informationen über sich.**
Eine Information ist falsch. Lesen Sie Ihre Informationen vor. Die anderen raten: Was ist falsch?

◆ Ich glaube, du stehst nicht jeden Tag um sechs auf.
◉ Doch. Ich stehe um sechs auf.
▲ Aber du ...

Montag bis Sonntag   jeden Tag
                     jeden Morgen/Abend
                     jede Nacht

Ich stehe jeden Tag um sechs Uhr auf.
Am Vormittag lerne ich Deutsch.
Jeden Abend räume ich auf.
Ich gehe um elf Uhr ins Bett.

E Ein Tag in Berlin

E1 Öffnungszeiten

a Hören Sie und ordnen Sie die Anzeigen zu.

A

BERLIN TOURIST INFO

Neues Kranzler Eck
Nähe Bhf. Zoologischer Garten
Kurfürstendamm 22, Passage
Mo–Sa 9.00–20.00
So 10.00–18.00
www.visitberlin.de

B

CAFÉ EINSTEIN

Kurfürstenstraße 58
10785 Berlin
www.cafeeinstein.com
Tel. 030 / 2 61 50 96

Öffnungszeiten:
täglich
8.00–1.00 Uhr

C

Mit dem
Fahrrad
durch
Berlin

Fahrradstation Mitte
Auguststr. 29a
Mo–Fr 10.00–19.30 Uhr
Sa 10.00–19.00 Uhr *19 Uhr*

D

Kinder- und
Jugendbibliothek Berlin

Mo – Fr 15.00 – 19.00 Uhr
Sa 10.00 – 19.00 Uhr
An gesetzlichen Feiertagen
geschlossen.

Ansage	1	2	3	4
Text	*C*			

b Lesen Sie die Texte in a und markieren Sie die Öffnungszeiten.
Hören Sie dann noch einmal und korrigieren Sie.

	offiziell (Radio, Fernsehen, Ansagen …)	privat (Familie, Freunde …)
08.30	acht Uhr dreißig	halb neun
19.00	neunzehn Uhr	sieben Uhr

**E2 Herr Tanaka ist heute in Berlin. Lesen Sie die Texte
auf Seite 65 und kreuzen Sie an. Was ist richtig?**

1 Am Vormittag geht Herr Tanaka ins Kino.
Welchen Film sieht er?
○ Der Himmel über Berlin
☒ Martin Luther

2 Herr Tanaka geht gern ins Museum.
Wann ist das „Brücke Museum" geöffnet?
○ Von Mittwoch bis Montag.
○ Jeden Tag von 11 bis 17 Uhr.

3 Am Nachmittag macht er eine Tour mit
dem Schiff. Wann beginnt die Tour?
○ Um Viertel vor zwei.
○ Um drei.

4 Er hat Hunger.
Wo isst er?
○ Im KaDeWe.
○ Im IMAX.

5 Er möchte Berlin in
der Nacht sehen.
Geht das?
○ Ja. Auf der Reichstagskuppel.
○ Nein. Die Reichstagskuppel ist heute
nicht geöffnet.

WAS IST LOS IN BERLIN? 24.–30. Juli

Fischwoche im KaDeWe

Das Kaufhaus des Westens (gegründet 1907) ist das größte Kaufhaus in Europa. Im KaDeWe gibt es fast alles. Leckeres Essen findet man zum Beispiel im 6. Stock. Das Kaufhaus hat auch ein tolles Selbstbedienungsrestaurant. Das KaDeWe ist von Montag bis Donnerstag von 10 bis 20 Uhr geöffnet, am Freitag von 10 bis 21 Uhr und am Samstag von 9.30 bis 20 Uhr.

Reichstagskuppel

Täglich von 8.00 bis 24.00 Uhr, letzter Einlass 23.00 Uhr

Reichstagskuppel geschlossen!

Achtung Berlin-Besucher: Die Reichstagskuppel ist im Moment wegen Säuberungsarbeiten nicht geöffnet.

BRÜCKE MUSEUM BERLIN

Öffnungszeiten: täglich von 11 bis 17 Uhr
Dienstag geschlossen

Berlin mit dem Schiff?

So sehen Sie Berlin mal ganz anders: Fahren Sie zwei Stunden lang mit dem Schiff durch das Stadtzentrum und lernen Sie die deutsche Hauptstadt kennen. Machen Sie eine Tour mit! Kommen Sie zu uns!

Sie finden uns vom 1. Mai bis zum 3. Oktober an der Moltkebrücke.

Abfahrten:
10.30 / 12.45 / 15.00 / 17.15 / 19.30 Uhr

Erwachsene 8,00 Euro
Kinder 5,50 Euro

IMAX heute

Der Himmel über Berlin 15.30 / 17.30 / 19.30 / 22.00 Uhr
Martin Luther 11.00 / 13.15 / 15.45 / 18.00 Uhr

E3 Sie sind einen Tag in Berlin. Arbeiten Sie zu zweit und machen Sie mit den Informationen aus E1 und E2 einen Plan.
Was machen Sie wann? Stellen Sie Ihr Programm im Kurs vor.

Um acht Uhr frühstücken wir im Café Einstein. Um halb elf machen wir eine Tour mit dem Schiff. ...

8.30 Uhr: im Café Einstein frühstücken
10.30 Uhr: Berlin mit dem Schiff

Grammatik und Kommunikation

Grammatik

1 Trennbare Verben [ÜG] 5.02

auf✂räumen →	Ich räume auf.
auf|stehen →	Lara steht auf.
ein|kaufen →	Lara kauft ein.

auch so: *anrufen, fernsehen, anfangen*

Was passt zusammen?

auf — sehen
ein — räumen
fern — kaufen
auf — rufen
an — stehen
an — fangen

2 Trennbare Verben im Satz [ÜG] 10.02

	Position 2		Ende
Ich	räume	mein Zimmer	auf.
Lara	steht	früh	auf.
Lara	kauft	im Supermarkt	ein.
Stehst	du	gern früh	auf?

3 Temporale Präpositionen [ÜG] 6.01

Wann gehen Sie zum Deutschkurs?		
am Vormittag *aber:* in der Nacht	→	Tageszeit
am Montag von Montag bis Freitag	→	Tag
um zehn Uhr um Viertel vor/nach acht von neun bis fünf (Uhr)	→	Uhrzeit

Was machen Sie wann?
Schreiben Sie.
Wann stehen Sie auf?
Wann gehen Sie zum Deutschkurs?
Wann arbeiten/lernen Sie?
Wann gehen Sie ins Bett?

Am Morgen stehe ich um …

4 Verb: Konjugation [ÜG] 5.01, 5.02

	anfangen	arbeiten	fernsehen	schlafen
ich	fange an	arbeite	sehe fern	schlafe
du	fängst an	arbeitest	siehst fern	schläfst
er/es/sie	fängt an	arbeitet	sieht fern	schläft
wir	fangen an	arbeiten	sehen fern	schlafen
ihr	fangt an	arbeitet	seht fern	schlaft
sie/Sie	fangen an	arbeiten	sehen fern	schlafen

arbeiten – er/sie arbeit**e**t

finden – er/sie find**e**t

kosten – das kost**e**t

5 Verb: Position im Hauptsatz [ÜG] 10.01

	Position 2	
Robert	macht	*am Nachmittag* Sport.
Am Nachmittag	macht	Robert Sport.

Kommunikation

UHRZEIT: Wie spät ist es?

Wie spät ist es (jetzt)?	*(Es ist) Sieben/Neunzehn Uhr.*
	(Es ist) Acht Uhr dreißig./
	(Es ist) Halb neun.
Ist es schon zwölf?	*Nein. Es ist erst Viertel vor zwölf.*
	Es ist kurz vor zwölf./gleich zwölf.
	Es ist kurz nach zwölf.
Um wie viel Uhr gehst du ins Bett?	*Um elf Uhr./Um halb elf.*

ÖFFNUNGSZEITEN: (Von wann bis) Wann ist ... geöffnet?

Wann ist die Bibliothek geöffnet?	*(Von Montag bis Freitag)*
	Von 7 Uhr 30 bis 17 Uhr.

VERABREDUNG: Hast du Zeit?

Ich mache am Freitag eine Party.	
Hast du Zeit?	*Wann fängt die Party denn an?*
Um sieben Uhr.	*Das passt gut. Ich komme gern.*
	Da habe ich keine Zeit.

VORLIEBEN: Was machst du (nicht) gern?

Stehst du gern früh auf? | Ich stehe nicht gern früh auf.
Ich arbeite gern.

STRATEGIEN: Ich glaube, ...

Stimmt. | Ich glaube, ...

Wann ist ... geöffnet?
Schreiben Sie.

SUPERMARKT
Mo – Sa
7.00 – 20.00 Uhr

Bibliothek
Mo – Fr
8.00 – 18.00
Uhr

Café
Mo – Do 8 – 19 Uhr,
Fr – So   8 – 22 Uhr

Das Café _____ .
Die Bibliothek _____ .
Der Supermarkt _____ .

Sehen Sie in Ihren Kalender
und notieren Sie Ihre Antwort.

Hast du am Samstag um
acht Zeit? Ich gehe ins Kino.

Sie möchten noch mehr üben?

2 | 22-24
AUDIO-
TRAINING

VIDEO-
TRAINING

Lernziele

Ich kann jetzt ...

A ... sagen: Das mache ich:
Ich räume die Küche auf. _____ ☺ ☺ ☹
B ... nach der Uhrzeit fragen und die Uhrzeit sagen:
Wie spät ist es jetzt? – Es ist kurz vor zwölf. _____ ☺ ☺ ☹
C ... sagen: Wann mache ich was?
Ich spiele von fünf bis sechs Fußball. _____ ☺ ☺ ☹
D ... Informationen zur Tageszeit verstehen und geben:
am Vormittag, am Nachmittag, ... _____ ☺ ☺ ☹
... über meinen Tag sprechen:
Am Vormittag lerne ich Deutsch. _____ ☺ ☺ ☹
E ... Öffnungszeiten auf Schildern und in Telefonansagen verstehen ___ ☺ ☺ ☹
... eine Internetseite verstehen _____ ☺ ☺ ☹

Ich kenne jetzt ...

... 5 Aktivitäten:

spazieren gehen, ...

_____

... die Wochentage:

Montag, ...

_____

Der kleine Mann: Die Traumfrau

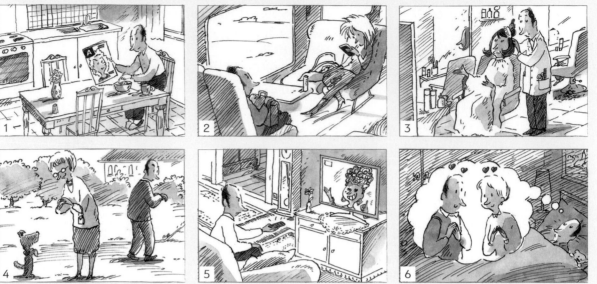

Ordnen Sie zu.

3 Von 8.30 Uhr bis 17 Uhr arbeitet der kleine Mann. ◯ Um 7.00 Uhr steht er auf und frühstückt.

◯ Von 18 bis 19 Uhr geht er spazieren. ◯ Von 20 bis 23 Uhr sieht er fern. Dann geht er ins Bett.

◯ Von 23.30 Uhr bis 7.00 Uhr schläft er. ◯ Um 7.45 Uhr fährt der kleine Mann zur Arbeit.

Lesen Sie den Text und notieren Sie
Informationen wie im Beispiel.

> Franziska:
> 23 Jahre, aus …
> lebt in …
>
> Wohnung: …
> Arbeit: …
> Freund: …
> Hobbys: …

Hallo! Ich bin Franziska.

Ich bin Franziska. Ich bin 23 Jahre alt und in Bodenheim geboren. Der Ort ist ziemlich klein, er hat etwa 7000 Einwohner. Nach der Schulzeit habe ich dort meinen Beruf gelernt. Ich bin Zahnarzthelferin und mag meinen Beruf.

Heute lebe und arbeite ich in Mainz. Mainz hat mehr als 200.000 Einwohner. Meine Wohnung hat ein Zimmer, eine Küche und ein Bad. Sie ist nicht teuer und gefällt mir sehr gut.
Mein Hobby ist Klettern. Mein Freund Nicolas ist 24 und studiert in Göttingen Medizin. Von Mainz nach Göttingen sind es 250 Kilometer. Ich sehe Nicolas also nicht so oft. Leider!

FILM

So ist mein Tag.

1 Sehen Sie eine Fotoreportage über Franziska an. Was macht Franziska wann? Verbinden Sie.

2 Sprechen Sie über Franziskas Tag.

> Um 7 Uhr steht Franziska auf. Dann ist sie im Bad. Um 7.30 Uhr frühstückt sie schnell ...

7.00 Uhr
bis 7.30 Uhr
7.30 Uhr
7.45 Uhr
8.00 Uhr
8.00 Uhr – 13.00 Uhr
13.00 Uhr – 15.00 Uhr
15.00 Uhr – 18.00 Uhr
18.15 Uhr
18.15 Uhr – 19.00 Uhr
19.15 Uhr
19.30 – 23.00 Uhr
manchmal

schnell frühstücken
Mittagspause machen: nach Hause
   oder ins Fitnessstudio gehen
aufräumen, Kleidung waschen
   oder einkaufen
Arbeit fängt an
aufstehen
nach Hause kommen
im Bad sein
ausgehen und Freundinnen treffen
essen
telefonieren mit Nicolas,
   lesen oder fernsehen
losgehen zur Zahnarztpraxis
arbeiten
wieder in der Praxis sein

HÖREN

Gehen wir joggen?

LEA

	Montag	Dienstag	Mittwoch	Donnerstag	Freitag	Samstag	Sonntag
Morgen							
Vormittag	8 bis 17 Uhr Büro						
Nachmittag							
Abend							
Nacht							

KARLA

	Montag	Dienstag	Mittwoch	Donnerstag	Freitag	Samstag	Sonntag
Morgen							
Vormittag							
Nachmittag							
Abend							
Nacht							

2 ◀)) 25   **1** Was macht Lea diese Woche? Hören Sie und ergänzen Sie Leas Wochenplan.

2 ◀)) 26   **2** Was macht Karla diese Woche? Hören Sie und ergänzen Sie Karlas Wochenplan.

3 Lea und Karla möchten diese Woche eine Stunde zusammen joggen. Wann geht das? Machen Sie zwei Vorschläge.

Freizeit

Folge 6: Der Käsemann

1 Sehen Sie die Fotos an.

a Wer macht was? Zeigen Sie und sprechen Sie.

> einen Ausflug machen   Auto fahren   wandern
> Nachrichten schreiben   ein Picknick machen
> Gitarre und Mundharmonika spielen   telefonieren   fotografieren

> *Lara, Lili, Sofia und Walter machen einen Ausflug.*

> *Hier, Foto 6: Tim telefoniert.*

b Wie ist das Wetter? Kreuzen Sie an.

○ Die Sonne scheint.

○ Es regnet.

○ Es gibt viele Wolken.

2 ◀)) 27-34   **2 Sehen Sie die Fotos an und hören Sie. Was ist in der Dose?**

Laras Film

2 ◀)) 27-34   **3 Was ist richtig? Hören Sie noch einmal und kreuzen Sie an.**

a Das Wetter ist ○ sehr schön. ☒ nicht so gut.
b Familie Baumann und Lara machen einen Ausflug.
   Sie gehen los, aber Sofia vergisst die ○ Gitarre. ○ Dose.
c Lili hat ○ Durst. ○ Hunger.
d Lili möchte ○ keine Würstchen ○ keinen Käse   essen.
e Lara ○ schreibt eine Nachricht an Tim. ○ ruft Tim an.
   Tim bringt die ○ Mundharmonika. ○ Dose.
f Alle finden: Es ist so ○ schön ○ interessant   hier.

4 Wandern Sie gern? Machen Sie gern Picknick? Machen Sie gern Musik?
Erzählen Sie.

Ich wandere sehr gern.

Wandern finde ich ...

A Das **Wetter** ist nicht so schön.

A1 Ordnen Sie zu.

- ○ Es regnet.
- ○ Es sind 25 Grad. Es ist warm.
- ○ Die Sonne scheint.
- ○ Es ist windig.
- ○ Es sind nur 7 Grad. Es ist kalt.
- Ⓐ Es schneit.
- ○ Es ist bewölkt.

A B C D

E F G

A2 Sehen Sie die Karte an.

Fragen Sie und antworten Sie.

- ◆ Wie ist das Wetter in Norddeutschland?
- ◎ Gut. Die Sonne scheint.
- ◆ Und wie ist das Wetter ...

im Norden

im Westen ✳ im Osten

im Süden

Wie ist das Wetter?	☺ Gut./Schön.
	☹ Schlecht./ Nicht so gut./schön.

A3 Wetterbericht

a Wie ist das Wetter heute?

Lesen Sie die Wetterberichte und ordnen Sie zu.

○ ⛅ ② 🌧 ○ ☀

1

www.europawetter-heute.de

| heute | Mi | Do | Fr | Sa | So | Mo |

Schweiz: Im Norden und Westen bewölkt.
Sonst meist sonnig bei -1 bis +5 Grad.
Im Süden bis zu +9 Grad. Morgen steigen
überall die Temperaturen.

2

Heute Regen	🌧	+2° – +8°C
Mi bewölkt	⛅	+1° – +7°C
Do bewölkt	☁	+2° – +8°C
Fr Schnee	❄	-1° – +2°C
Sa und So sonnig	☀	-2° – +4°C

3

Wetter   Deutschland | Europa | Welt

Heute ist es sonnig und warm bei
Temperaturen über 25 Grad im Süden.
Auch in den kommenden Tagen bleibt
das Wetter schön.

+8°C (plus) acht Grad

-3°C minus drei Grad /
drei Grad unter Null

2 35-37   **b** Welches Radio-Wetter passt zu den Texten in a?
Hören Sie und ordnen Sie zu.

Wetterbericht			
Internet	1	2	3
Radio		A	

B1 Wo ist der Käse?

2 ◀)) 38   **a** Hören Sie und ergänzen Sie die Tabellen.

◆ Sag mal, Sofia:
Hast du den Käse?

○ Moment mal,
wo ist denn der Käse?
Hier, Papa. Ich habe
den Käse, siehst du?

☐ Lili? Ein Würstchen?

▲ Nein, danke. Haben
wir keinen Käse?

○ Wo ist denn der Käse?

Nominativ	
Wo ist	• .... /ein/kein Käse?
	• das/ein/kein Würstchen?
	• die/eine/keine Cola?
Wo sind	• die/–/keine Tomaten?

Akkusativ	
Ich habe	• .... /einen/ *keinen* Käse.
	• das/ein/kein Würstchen.
	• die/eine/keine Cola.
	• die/–/keine Tomaten.

b Fragen Sie und antworten Sie wie in a.

• Cola   • Tomaten   • Saft   • Wasser   • Kuchen   • Schokolade

B2 Sehen Sie die Speisekarte an. Was nehmen Sie?
Sprechen Sie mit Ihrer Partnerin / Ihrem Partner.

KLEINE SPEISEN
Gemüsesuppe 3,20
Pizza (klein) 4,20
1 Portion Pommes mit Ketchup 2,50
• 2 Wiener Würstchen
   mit Kartoffelsalat 3,80
• 3 Kartoffelpuffer
   mit Apfelmus 6,90
• Hamburger mit Pommes 7,90
• Salat mit Schinken und Ei 3,60

DESSERTS
• Apfelstrudel 3,00
• Schokoladenkuchen 2,60

GETRÄNKE
• Mineralwasser 2,00
• Apfel-/Orangensaft 2,30
  Cola 2,30
• Tee 2,00
• Kaffee 2,40
  Milch 2,20

ich	nehme
du	nimmst
er/sie	nimmt

◆ Also, ich nehme die Würstchen und einen
Apfelsaft. Was nimmst du?

○ Ich weiß nicht. Ach nein, ich nehme keinen
Saft. Ich glaube, ich trinke nur eine Cola.

⇆ B3 Planen Sie ein Picknick.

Wer kauft die Würstchen und den Orangensaft?

Ich kaufe die Würstchen.   *Ich kaufe den Orangensaft.*

Würstchen
Orangensaft

Würstchen → Jonas
Orangensaft → Carmen

2 ◀)) 39 **C1** Hören Sie und ordnen Sie zu.

~~Doch~~ Ja Nein Doch Ja Doch

1

◆ Hast du den Käse?

◉ Den Käse? Moment mal, wo ist denn
  der Käse? Ach …

◆ Was? Haben wir den Käse nicht dabei?

◉ _Doch_ ! Hier, Papa! Ich habe den Käse.
  Hier ist er, siehst du?

◆ _____ !

2

◉ Möchtest du ein Würstchen?

▲ _____, gern. Danke, Sofia. … Lili?
  Möchtest du auch ein Würstchen?

◻ _____, danke.

◆ Was? Hast du keinen Hunger mehr?

◻ _____. Aber ich möchte lieber Käse.
  Haben wir keinen Käse?

◉ _____.

C2 Lesen Sie die Nachrichten
und ergänzen Sie
ja, nein, doch.

ich	möchte
du	möchtest
er/sie	möchte

Möchtest du ein Würstchen?	Ja.	Nein.
Haben wir den Käse nicht dabei?	Doch.	Nein.
Hast du keinen Hunger mehr?	Doch.	Nein.

A

Hallo Leute, ich habe eine Wohnung!

Super, ist die Wohnung teuer?

Nein. Sie kostet nur 300 Euro.

C

Hey, die Frau auf den Fotos ist aber
nicht deine Freundin, oder?

_____, natürlich!

Was? Das ist deine Freundin?

_____, klar. Sie heißt Tina.

B

Hallo, Schatz! Ich gehe einkaufen. Was
essen wir heute Abend? Hähnchen?

Ach _____, kein Hähnchen. ☹

Okay, dann vielleicht Pizza?

_____, gern. Gute Idee.

D

Wo bist du, Mark? Wir warten!
Kommst du heute nicht zum Fußball?

_____! Ich bin gleich da.
Entschuldigung!

Kein Problem!

🔁 **C3** Spiel: *Wie bitte?* Schreiben Sie vier Fragen und fragen Sie Ihre Partnerin / Ihren Partner.

Wie bitte?

Spielst du gern Fußball?
Hast du einen Hund?
Sprichst du Englisch?
Möchtest du einen Kaffee?

◆ Spielst du gern Fußball?

◉ Ja, ich spiele sehr gern Fußball.

◆ Wie bitte? Du spielst nicht gern Fußball?

◉ Doch!

▲ Hast du einen Hund?

◻ Nein.

▲ Wie bitte? Du hast keinen Hund?

◻ Nein.

D1 Was macht Adrian gern in der Freizeit?

a Ordnen Sie zu.

- ○ tanzen
- Ⓐ wandern
- ○ schwimmen
- ○ Gitarre spielen
- ○ Freunde treffen
- ○ Ski fahren
- ○ joggen
- ○ grillen

b Lesen Sie das Profil von Adrian. Welches Hobby aus a macht Adrian in der Freizeit nicht?

Adrian Greven • Mein Profil

Wohnort: Kempten, Deutschland Alter: 30
Familienstand: verheiratet mit Steffi

Freizeit: Sport ist für mich total wichtig! Ich liebe die Berge. Ich fahre gern Ski oder Snowboard und auch Mountainbike. Und Wandern? Wandern gefällt mir nicht. Ich jogge gern und ich schwimme jeden Tag. Und ich tanze total gern Salsa, natürlich nur mit Steffi! ☺

Lesen macht Spaß! Ich finde historische Romane super. Ich spiele auch Gitarre und ich singe auch gern. Aber nicht so gut. ;) Am Wochenende treffe ich meine Freunde. Wir grillen zusammen oder gehen ins Kino oder in einen Klub. Das finde ich nicht so gut: im Internet surfen.

Lieblingsfilm: James Bond Lieblingsbuch: Die Säulen der Erde (Ken Follett) Lieblingsmusik: Electro, Rock

ich	treffe	lese	fahre
du	triffst	liest	fährst
er/sie	trifft	liest	fährt

⇆ D2 Was machen Sie gern in der Freizeit?

Sprechen Sie mit Ihrer Partnerin / Ihrem Partner.

- ◆ Ich spiele gern Fußball und chatte viel. Was sind deine Hobbys?
- ○ Mein Hobby ist Lesen. Ich finde Krimis toll. Und ich treffe gern meine Freunde. Wir ...

Was sind deine/Ihre Hobbys?	Meine Hobbys sind ...
Was machen Sie / machst du gern in der Freizeit?	Ich ... gern ... / Ich finde ... gut./toll./super./interessant. Das/ ... macht Spaß.

SCHON FERTIG? Was machen Sie **nicht** gern? Sammeln Sie. Arbeiten Sie auch mit dem Wörterbuch.

E Reiseland D-A-CH

E1 Welche Jahreszeit ist das? Sehen Sie die Bäume an und ordnen Sie zu.

der Herbst: _3_   der Winter: _____   der Sommer: _____   der Frühling: _____

E2 Freizeitangebote in D-A-CH: Lesen Sie die Broschüre und notieren Sie.

Freizeitangebote ...

im Norden   in der Mitte und im Süden   im Süden

schwimmen   wandern   Mountainbike fahren

_____   _____   _____

_____   _____   _____

_____   _____   _____

_____   _____   _____

Willkommen im Reiseland „D-A-CH"!

Sie möchten Urlaub machen? Na prima! Dann kommen Sie zu uns, nach „D-A-CH". Hier ist es richtig schön. „D-A-CH" ist ein super Reiseland. Nein, das sind sogar drei Länder: D steht für Deutschland, A für Österreich
5 und CH für die Schweiz. Sie lernen Deutsch? Wunderbar! In „D-A-CH" spricht man Deutsch. Sie mögen die Natur? Super! Wir haben jede Menge Natur für Sie und Ihre Freizeitaktivitäten.

Wir fangen in Norddeutschland an. Hier gibt es die Ostsee und die
10 Nordsee. Sie können hier schwimmen, segeln und windsurfen.
Natürlich stehen auch Fahrradfahren und Wandern auf dem Programm. Das Wetter? Na gut, Norddeutschland ist nicht Südeuropa.
Hier ist es meist nicht so heiß, der Sommer ist nicht so lang und
manchmal regnet es auch ein bisschen. Aber für Aktivsportler wie
15 Sie ist das doch genau richtig, oder?

Auch in der Mitte und im Süden von Deutschland gibt es viele
Freizeitmöglichkeiten. Dort gibt es tolle Mittelgebirge und große
Wälder. Vom Frühling bis zum Herbst ist es ideal für alle Wanderer
und Radfahrer. Und im Winter gibt es viele Angebote für Skifahrer,
20 besonders für Skilangläufer.

Und jetzt kommen wir in den Süden von „D-A-CH". In der Schweiz,
in Österreich und ganz im Süden von Deutschland gibt es die Alpen
mit vielen tollen Bergen. Fahren Sie gern Mountainbike? Wie finden Sie Bergsteigen – oder Klettern? Sie sind Extremsportler und
25 möchten Paragliding oder Canyoning machen? Hier finden Sie alles.

Sie sehen: „D-A-CH" ist gut für Sie. „D-A-CH" macht Spaß! Kommen
Sie einfach, wann immer Sie möchten: im Frühling, im Sommer, im Herbst
und im Winter. In „D-A-CH" ist es immer schön. Wir freuen uns auf Sie!

E3 Lesen Sie noch einmal und korrigieren Sie die Sätze.

a Im Norden ist es ~~sehr warm~~. *nicht so heiß*
b In der Mitte und in Süddeutschland gibt es keine Angebote für Wintersportler. _____
c Der Winter ist sehr gut für das Wandern und Fahrradfahren. _____
d In „D-A-CH" ist es nur im Winter schön. _____

> Es gibt viele Freizeitmöglich-
> keiten / Angebote / ...

E4 Welche Region(en) finden Sie interessant?
Warum? Sprechen Sie im Kurs.

> *Ich finde Norddeutsch-*
> *land interessant. Dort*
> *gibt es viel Wind. Das ist*
> *super. Ich surfe gern.*

E5 Ihr Lieblingsland
Wie sind die Jahreszeiten dort?
Was machen Sie wann?
Schreiben Sie einen Text.

> *Mein Lieblingsland ist Malta. Das ist eine Insel*
> *im Mittelmeer. Es ist immer warm, besonders*
> *im Sommer. Im Winter regnet es viel. Im Sommer*
> *schwimme oder surfe ich. Im Winter ...*

Grammatik und Kommunikation

Grammatik

1   Akkusativ: definiter Artikel   ÜG 2.01, 2.02

	Nominativ	Akkusativ
	Wo ist/sind ...	Ich habe ...
Singular	• der Käse?	• den Käse.
	• das Würstchen?	• das Würstchen.
	• die Cola?	• die Cola.
Plural	• die Tomaten?	• die Tomaten.

2   Akkusativ: indefiniter Artikel   ÜG 2.01, 2.02

	Nominativ	Akkusativ
	Ist/Sind das ...	Ich habe ...
Singular	• ein Käse?	• einen Käse.
	• ein Würstchen?	• ein Würstchen.
	• eine Cola?	• eine Cola.
Plural	• Tomaten?	• Tomaten.

3   Akkusativ: Negativartikel   ÜG 2.03

	Nominativ	Akkusativ
	Das ist/sind ...	Ich habe ...
Singular	• kein Käse.	• keinen Käse.
	• kein Würstchen.	• kein Würstchen.
	• keine Cola.	• keine Cola.
Plural	• keine Tomaten.	• keine Tomaten.

4   Ja-/Nein-Frage: *ja – nein – doch*   ÜG 10.03

Frage	Antwort	
Möchtest du ein Würstchen?	Ja.	Nein.
Haben wir den Käse nicht dabei?	Doch.	Nein.
Hast du keinen Hunger mehr?	Doch.	Nein.

5   Verb: Konjugation   ÜG 5.01, 5.10

	lesen	treffen	nehmen	fahren	„möchte"
ich	lese	treffe	nehme	fahre	möchte
du	liest	triffst	nimmst	fährst	möchtest
er/es/sie	liest	trifft	nimmt	fährt	möchte
wir	lesen	treffen	nehmen	fahren	möchten
ihr	lest	trefft	nehmt	fahrt	möchtet
sie/Sie	lesen	treffen	nehmen	fahren	möchten

auch so: *fernsehen, essen, sprechen | schlafen, anfangen*

TiPP

Lernen Sie Regeln mit Situationen und Beispielen.

Hast du den Käse?

Moment mal ..., wo ist denn der Käse?

Antworten Sie.
Haben Sie eine Gitarre?
☺ _____ ☹ _____

Sprechen Sie nicht Deutsch?
☺ _____ ☹ _____

TiPP

Schreiben Sie Kärtchen.
Markieren Sie und schreiben Sie Beispielsätze.

lesen
Liest du gern?
Mein Vater liest
jeden Morgen.

Kommunikation

HOBBYS: Ich tanze gern.

Was sind Ihre/deine Hobbys?

*Was machst du / machen
Sie gern in der Freizeit?*

*Meine Hobbys sind Lesen und
Gitarre spielen.*

Ich schwimme viel.
Ich tanze gern. Das macht Spaß.
Ich mache gern Sport.
*Ich finde Krimis gut./toll./
super./interessant.*

VORLIEBEN: Mein Lieblingsbuch ist ...

Mein Lieblingsbuch/Lieblingsfilm ist ...
Meine Lieblingsmusik ist ...

DAS WETTER: Die Sonne scheint.

Wie ist das Wetter?
Gut. | Die Sonne scheint. | Es ist warm. | Schön. | Es regnet.
Es ist heiß. | Schlecht. | Es ist windig. | Es ist kalt.
Nicht so gut/schön. Es ist bewölkt. | Es gibt viele Wolken.
Es schneit. | Heute sind es sieben Grad.

STRATEGIEN: Na gut.

Ach nein. | Na gut. | Hm, ...
Kein Problem. | Ich weiß nicht. | Moment mal, ...
Gute Idee! | Na prima!

Schreiben Sie.
Was sind Ihre Hobbys? Was
machen Sie gern in der Freizeit?

In meiner Freizeit ...

Ach nein, jetzt regnet es.
Kein Problem!
Gute Idee!

Sie möchten noch mehr üben?

2 | 40-42 AUDIO-TRAINING

VIDEO-TRAINING

Lernziele

Ich kann jetzt ...

A ... über das Wetter sprechen:
Wie ist das Wetter? – Gut. Die Sonne scheint. ☺ ☺ ☹
... den Wetterbericht verstehen ☺ ☺ ☹

B ... einfache Gespräche am Imbiss führen:
Ich nehme die Würstchen und einen Saft. Was nimmst du? ☺ ☺ ☹

C ... zustimmen, verneinen:
Hast du keinen Hunger? – Doch./Nein. ☺ ☺ ☹

D ... über die Freizeit sprechen:
Ich spiele gern Fußball und ich chatte viel. ☺ ☺ ☹
... Personenporträts verstehen ☺ ☺ ☹

E ... eine Reisebroschüre verstehen ☺ ☺ ☹

Ich kenne jetzt ...

... 5 Hobbys:

schwimmen, ...

... 7 Wörter zum Thema *Wetter:*

windig, ...

LIED

Wir sind nicht allein

Wir sind nicht allein

Du möchtest keinen Kaffee? – Nein.
Du möchtest keine Milch? Oh Mann!
Ich möchte auch keinen Tomatensaft.
Ja, was möchtest du denn dann?

Ich möchte singen. Du bist nicht allein.
Wir alle singen gern im Verein.

Wir machen keine Pizza. Nein.
Wir kochen auch kein Ei. Oh Mann!
Wir backen keinen Kuchen.
Ja, was machen wir denn dann?

Wir singen ein Lied. Wir sind nicht allein.
Wir alle singen gern im Verein.

◀)) 43 **1** Hören Sie das Lied und singen Sie mit.

2 Welche Vereine kennen Sie? Sammeln Sie.

Fußball–   Musik–

Sport–   -verein
-klub

Schach–

FILM

Almas Hobby: Wolkenfotos

1 Sehen Sie den Film an. Wie finden Sie Alma
Schneiders Hobby? Sprechen Sie.

2 Sehen Sie den Film noch einmal an.
Was gefällt Alma? Markieren Sie.

> spazieren gehen   Fahrrad fahren   Wolken   Farben
> Bananen   fotografieren   Süddeutschland   arbeiten

3 Haben Sie ein besonderes Hobby?
Was gefällt Ihnen? Erzählen Sie.

> Ich klettere gern in der Natur.

Freizeit in ...

1 Eine Stadt in Deutschland, Österreich, Liechtenstein oder der Schweiz:
Recherchieren Sie die Informationen im Internet.

   a Wie viele Menschen leben dort?

   b Wie ist das Wetter heute?

   c Was kann ich dort in meiner Freizeit machen?

2 Ergänzen Sie und markieren Sie die Informationen.

Die Stadt	Das Wetter	Freizeitangebote
Die Stadt .... liegt in Deutschland / in Österreich / in Liechtenstein / in der Schweiz. Sie liegt im Westen / Osten / Norden / Süden / in der Mitte und hat .... Einwohner.	Das Wetter dort ist heute gut / schön / nicht so gut / schlecht. Es ist	Kultur ....

Das Wetter dort ist heute gut/schön/nicht so gut/schlecht.

Es ist

☀ sonnig.

⛅ leicht bewölkt.

☁ stark bewölkt.

🌧 Es regnet.

🌨 Es schneit.

Es sind plus / minus .... Grad.

Es ist ...

-5   0   5   15   25   35

sehr kalt   kalt   warm   heiß   sehr heiß

Kultur
....
....
....

Essen und Trinken
....
....
....

Sport
....
....
....

Andere
....
....
....

3 Erzählen Sie im Kurs.

Wien ist die Hauptstadt von Österreich und liegt im Osten von Österreich. Wien hat fast zwei Millionen Einwohner. ...

... Das Wetter in Wien ist heute sehr schön. Die Sonne scheint. Es ist sehr heiß. Meine Freizeit-Tipps sind: Café Mozart, Wiener Prater, das MuseumsQuartier und der Stephansdom.

Lernen – ein Leben lang

Folge 7: Fernunterricht

1 Sprechen Sie in Ihrer Sprache.

Kennen Sie Hula-Hoop? Haben Sie einen Hula-Hoop-Reifen?

2 Sehen Sie die Fotos an. Erzählen Sie.

Was möchte Walter lernen? Wer hilft Walter?

*Ich glaube,
Walter möchte ...*

2 ◀)) 44-51   **3 Hören Sie und vergleichen Sie.**

Laras Film

2 ◀)) 44-51   **4 Was passiert?**

Lesen Sie und ordnen Sie die Sätze. Hören Sie dann noch einmal und vergleichen Sie.

○ Walter kauft einen neuen Reifen und übt weiter Hula-Hoop.
   Jetzt macht er alles richtig.

○ Walter telefoniert mit Lara und fragt: „Was mache ich falsch?"
   Lara sagt: „Schick ein Foto."

① Walter sieht ein Foto: Auf dem Foto ist er ein Kind und übt Hula-Hoop.

○ Walter möchte wieder Hula-Hoop lernen, aber es funktioniert nicht.
   Er macht die Vase kaputt.

○ Lara sieht auf dem Foto: Der Reifen ist zu klein. Sie gibt Walter Tipps.

5 Was machen/spielen Sie gern? Erzählen Sie.

> Ich mache gern Sport, ich jogge. Das macht Spaß.

A Ich **kann** den Reifen nicht richtig **schwingen**.

A1 Hula-Hoop ist super!

a Lesen Sie und markieren Sie die Verben.

b Ergänzen Sie die Tabelle.

Modalverb *können*	
ich	
du	
er/sie	
wir	können
ihr	könnt
sie/Sie	können

> **Hula-Hoop ist super!**
> 5 👍 | 4 Kommentare
>
> Was, du kannst einen Hula-Hoop-Reifen schwingen?
>
> Das sieht toll aus. Kann ich das auch lernen?
>
> Na ja. Ich kann den Reifen nicht richtig schwingen. Lara kann das gut!
>
> Nein, das stimmt nicht! Aber ich kann gute Tipps geben! ☺

A2 Spielen Sie Gespräche.

☺   ☹

Gitarre spielen

schwimmen

Fahrrad fahren

Englisch sprechen

einkaufen ...

singen

Ski fahren

tanzen

Spanisch sprechen

kochen ...

▫ Walter kann wirklich gut Gitarre spielen.

◆ Stimmt, aber er kann nicht gut singen.

Ich kann gute Tipps geben.

Kann ich das auch lernen?

🔁 A3 Spiel: *Bingo* – Wer kann was wie gut?

Fragen Sie im Kurs und notieren Sie die Namen.
Wer hat zuerst vier Personen in einer Reihe?

◆ Kannst du gut Fahrrad fahren?

○ Ja, ich kann gut Fahrrad fahren.

> *Ja, (sehr) gut. / ein bisschen.*
> *Nein, nicht (so) gut. / gar nicht.*

sehr gut	gut	nicht so gut	gar nicht	
Fahrrad fahren	Kuchen backen	schwimmen	singen	**Variante 1:** senkrecht
reiten	stricken	jonglieren	kochen	**Variante 2:** waagerecht
tanzen	einen Hand-stand machen	Französisch sprechen	Klavier spielen	**Variante 3:** diagonal
malen	Ski fahren	Tennis spielen	foto-grafieren	

B Ich **will** das so gern wieder **lernen**!

B1 Ich will Hula-Hoop lernen!

2 ◀)) 52 **a** Hören Sie und ordnen Sie zu.
 Willst   wollen   ~~will~~   wollt

A
◆ Ich _will_ das
so gern wieder lernen!
_____ du mir
vielleicht helfen?

B
○ Lisa kommt gleich.
Wir _____ im Park
jonglieren.
▲ Was? Ihr _____ im
Park jonglieren?

b Ergänzen Sie die Tabelle.

Modalverb *wollen*	
ich _____	wir _____
du _____	ihr _____
er/sie will	sie/Sie wollen

Ich will das so gern wieder lernen!

B2 Weiterbildung

a Was meinen Sie? Wer will was machen?
Lesen Sie und sprechen Sie dann.

Beispiele aus unserem Kursangebot:

✓ Intensivkurse in Englisch und Spanisch
✓ Internet- und Computerkurse
✓ Fotokurse
✓ Intensivkurse in Zeichnen
✓ Anti-Stress-Kurse
✓ Kommunikationstraining
✓ Politikkurse
✓ Kurse in Psychologie
✓ Kurse in Zeitmanagement
✓ Theaterkurse
✓ Kurse in digitaler Musikproduktion
✓ Mathematikkurse

A
B
Britta Junghans
Martin Schlüter, Matthias Sommer

C
D
Clemens Dahmen
Christiane Schulken, Andrea Meier

◆ Britta Junghans will sicher
einen Anti-Stress-Kurs machen.
○ Ja, stimmt, und ...

b Und Sie? Was wollen Sie machen? Sprechen Sie.

B3 Was wollen Sie wann (nicht) machen?

Notieren Sie und sprechen Sie mit Ihrer Partnerin / Ihrem Partner.

Wann?	Was?	Was nicht?
Ferien Wochenende	Freunde treffen	früh aufstehen

◆ Was willst du in den Ferien machen?
○ Ich will Freunde treffen und ich will nicht früh aufstehen!
Und du? Was willst du machen?

C Das **hat** richtig Spaß **gemacht**.

C1 Du hast Hula-Hoop geliebt!

a Lesen Sie und markieren Sie die Verben wie im Beispiel.

> **E-Mail senden**
>
> Liebe Evi,
> ich habe lange nicht geschrieben. Aber heute! Kennst Du noch Hula-
> Hoop? Ich habe gestern ein Foto gefunden: ich als Kind mit einem
> Hula-Hoop-Reifen! Ich habe früher so oft Hula-Hoop geübt und Du
> auch! Das hat richtig Spaß gemacht. Du hast Hula-Hoop geliebt!
> Ich habe gestern gleich einen Hula-Hoop-Reifen gekauft! Im Wohn-
> zimmer habe ich dann geübt. Aber ich habe es nicht richtig gemacht.
> Dann habe ich mit Lara gesprochen. Und weißt Du was? Ich kann es
> jetzt wieder! Willst Du auch wieder Hula-Hoop lernen? Morgen um
> 10:00 Uhr im Park! Kommst Du? Bitte!!! Dein Walter

Präsens	Perfekt
ich übe	ich habe geübt
ich finde	ich habe gefunden

Ich habe ein Foto gefunden.

b Ergänzen Sie die Tabelle.

ich habe du hast er/sie hat wir haben ihr habt sie/Sie haben	-(e)t	-en
	geübt	geschrieben

C2 Was hat Walter gestern gemacht?

a Sehen Sie die Bilder an und ordnen Sie zu.

Nachricht geschrieben   ~~mit Evi Hula-Hoop geübt~~   geschlafen   gefrühstückt
einen Hula-Hoop-Reifen gekauft   Evi getroffen   mit Evi im Restaurant gegessen   Picknick gemacht

A _____

B _____

C _____

D mit Evi Hula-Hoop geübt

E _____

F _____

G _____

H _____

b Was hat Walter wann gemacht? Sprechen Sie.

| am Morgen | um 10 Uhr | am Vormittag | am Mittag |
| am Nachmittag | am Abend | in der Nacht |

> *Am Morgen hat Walter gefrühstückt. Um 10 Uhr ...*

C3 Was haben Sie wann gemacht?

a Schreiben Sie 7 Kärtchen mit den Wochentagen und 7 Kärtchen mit Uhrzeiten.

Montag   Freitag

um 12 Uhr   von 14 bis 16 Uhr

b Sprechen Sie mit Ihrer Partnerin / Ihrem Partner.

Freitag   um 12 Uhr

gelernt   geschlafen   gefrühstückt
Freunde getroffen   gekocht   Musik gehört
Fußball gespielt   gegessen   gearbeitet   ...

◆ Was hast du am Freitag um 12 Uhr gemacht?
  Hast du Mittag gegessen?
○ Nein, ich habe gearbeitet. Und was hast du
  am Montag von 14 bis 16 Uhr gemacht?
◆ Ich habe ...

Hast du Mittag gegessen?

> **SCHON FERTIG?** Was haben Sie am Wochenende gemacht? Schreiben Sie.

C4 Spiel: *Lebende Sätze*

a Schreiben Sie Sätze wie im Beispiel. Machen Sie Kärtchen.

Wir   haben   viel   gelernt   .

b Suchen Sie Ihre Partner. Bilden Sie Sätze.

D Ich **bin** heute in die Stadt **gegangen**.

D1 Walters Wege. Lesen Sie und ordnen Sie zu.

bin | gekommen | ~~gegangen~~ | ~~bin~~ | gefahren | bin

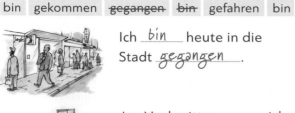

Ich _bin_ heute in die Stadt _gegangen_ .

Am Nachmittag .... ich nach Hause ....

Walter ist heute in die Stadt gegangen .

Am Nachmittag ist er nach Hause gekommen .

Am Abend ist er noch in den Park gefahren .

Am Abend .... ich noch in den Park ....

2 ◀)) 53-54 **D2 Lesen Sie die Anzeigen. Hören Sie dann und ordnen Sie zu. Welche Anzeige passt?**

A Lernen im Urlaub in der Schweiz! Sie wollen **Italienisch lernen?** Und Sie wollen dabei auch einen schönen Urlaub haben? **Rufen Sie an!** Tel: 040-5679941

B Urlaub machen und Gitarre lernen! Machen Sie einen <u>Gitarrenkurs</u> in unserem schönen Haus in Italien! *Villa Musica, Ravenna*

C  *Saxofonunterricht* für Anfänger und Könner in unserem Kurshaus in Österreich. Machen Sie Musikferien mit Viva Musica!

2 ◀)) 53-54 **D3 Wer hat was gemacht?**

Gespräch	1	2
Anzeige		

a Hören Sie noch einmal und kreuzen Sie an.

	Herr Janz	Frau Albers
1 nach Italien gefahren	☒	○
2 einen Saxofonkurs gemacht	○	○
3 Gitarre gelernt	○	○
4 jeden Tag 6 Stunden Unterricht gehabt	○	○
5 viel spazieren gegangen	○	○
6 Salzburg gesehen	○	○

b Sprechen Sie.

Herr Janz ist nach Italien gefahren. Er hat ...

⇆ **D4 Bist / Hast du schon mal ...?**

a Schreiben Sie zu zweit sechs Fragen.

b Fragen Sie im Kurs und notieren Sie die Namen.

Hast du schon einmal im Urlaub einen Kurs gemacht? Bist du schon mal 100 Kilometer Fahrrad gefahren?

Hast / Bist du schon mal ...?

Ja, schon einmal.

Ja, schon öfter.

Nein, noch nie.

E1 Tipps fürs Sprachenlernen

a Lesen Sie die Texte und ordnen Sie zu. Achtung: Manche Tipps passen zweimal.

1 Wörter lernen   2 die Sprache hören   3 mit Leuten sprechen   4 Texte lesen
5 Texte schreiben   6 Filme sehen

FRAGE VON ELANO

elano

Hilfe!!! Ich lerne Französisch, aber die Vokabeln sind so schwer und die Grammatik auch! Was kann ich machen? Wie lernt ihr eine Sprache? Hat jemand einen Tipp?

4 ANTWORTEN

Danilo22

Ich lerne schon zwei Jahre Französisch. Immer cool bleiben! Du kannst nicht gleich alles können! Ich kaufe französische Zeitungen – meistens Sportzeitungen. Die lese ich gern. Und ich sehe auch mal Filme auf Französisch. So verstehe ich immer mehr.   ④ ⑥

VENDETTA99

Hi, Danilo22 – super Antwort! Ich lerne auch Französisch und hier ist mein Tipp: Spazieren gehen und dabei Vokabeln lernen: im Park, im Garten, einfach nur im Haus – ganz egal: Das hilft!   ◯

Maxi

Ich lerne Englisch. Ich mache oft am Wochenende einen Englischtag. Dann mache ich alles nur auf Englisch: Ich höre im Internet einen Radiosender aus London, ich sehe eine DVD auf Englisch und ich spreche nur Englisch – das macht Spaß, sagt auch mein Mann.   ◯ ◯ ◯

Felipa-Fee

Such dir einen Tandem-Partner! Dann kannst du mit einem Lernpartner aus Frankreich telefonieren, E-Mails schreiben oder chatten. Ich lerne Russisch und habe schon zwei russische Tandem-Partner. Das ist toll! Tandem-Partner kannst du ganz leicht im Internet finden.   ◯ ◯ ◯

b Welche Tipps finden Sie gut und wichtig? Lesen Sie noch einmal.
Was haben Sie schon einmal gemacht? Was wollen Sie gern machen? Sprechen Sie.

> *Spazieren gehen und Vokabeln lernen – was meint ihr: Ist der Tipp wichtig?*

> *Ja, der Tipp ist gut! Das mache ich auch und das hilft!*

> *Ich finde den Tipp nicht so wichtig. Ich lerne immer im Bus Vokabeln.*

⇆ E2 Tipps fürs Deutschlernen

a Haben Sie noch mehr Tipps?
Machen Sie ein Plakat.

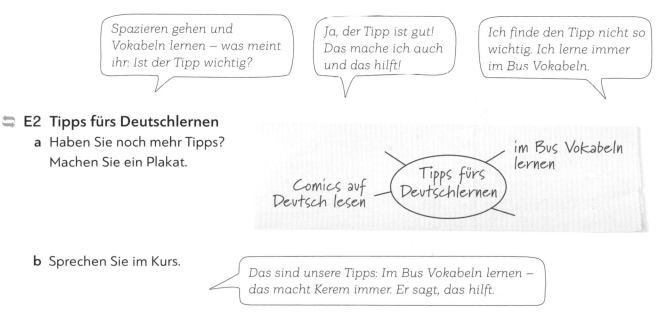

im Bus Vokabeln lernen

Comics auf Deutsch lesen

Tipps fürs Deutschlernen

b Sprechen Sie im Kurs.

> *Das sind unsere Tipps: Im Bus Vokabeln lernen – das macht Kerem immer. Er sagt, das hilft.*

Grammatik und Kommunikation

Grammatik

1 Modalverben: *können* und *wollen* ⓊⒼ 5.09, 5.10

	können	wollen
ich	**kann**	**will**
du	kannst	willst
er/es/sie	**kann**	**will**
wir	können	wollen
ihr	könnt	wollt
sie/Sie	können	wollen

2 Modalverben im Satz ⓊⒼ 10.02

	Position 2		Ende
Ich	kann	gute Tipps	geben.
Ich	will	das so gern wieder	lernen.
Kann	ich	das auch	lernen?

Was können Sie (nicht)?
Schreiben Sie drei Sätze.

Ich ... gut ...
... ein bisschen ...
... nicht ...

3 Perfekt mit *haben* ⓊⒼ 5.03

		haben + ge...t
üben	er übt	er hat geübt
machen	er macht	er hat gemacht
lieben	er liebt	er hat geliebt
kaufen	er kauft	er hat gekauft

		haben + ge...en
treffen	er trifft	er hat getroffen
finden	er findet	er hat gefunden
sprechen	er spricht	er hat gesprochen
schreiben	er schreibt	er hat geschrieben

Merke:
Oft bei *ge...en* :

schreiben – geschrieben
sprechen – gesprochen
trinken – getrunken

4 Perfekt mit *sein* ⓊⒼ 5.04

		sein + ge...en (• → •)
gehen	er geht	er ist gegangen
fahren	er fährt	er ist gefahren
kommen	er kommt	er ist gekommen

Ich bin gegangen.
Ich bin gefahren.

5 Das Perfekt im Satz ⓊⒼ 10.02

	Position 2		Ende
Walter	hat	einen Reifen	gekauft.
Ich	bin	heute in die Stadt	gegangen.
Hast	du	schon einmal einen Kurs	gemacht?

Kommunikation

STARKER WUNSCH: Was willst du lernen?

Was willst du/wollen Sie in den Ferien machen? *Ich will Freunde treffen.*

VORSCHLAG: Wollen wir Fahrrad fahren?

Wollen wir Fahrrad fahren?

FÄHIGKEIT: Ich kann sehr gut Ski fahren.

Kannst du/Können Sie Ski fahren? *Ja, ich kann (sehr) gut / ein bisschen Ski fahren.*
Ja, (sehr) gut.
Nein, ich kann nicht (so) gut / gar nicht Ski fahren.
Nein, nicht so gut.

WICHTIGKEIT: Ich finde den Tipp wichtig.

Ich finde Vokabelnlernen (sehr) wichtig.
Ich finde Radiohören nicht (so) wichtig.

HÄUFIGKEIT: Ja, schon öfter.

Bist du schon mal 100 Kilometer Fahrrad gefahren?
Ja, schon einmal. | Ja, schon öfter. | Nein, noch nie.

STRATEGIEN: Ja, super!

Ja, super! | Nein, nicht so gern.

Schreiben Sie fünf Wünsche.

Ich will gut Deutsch lernen. …

Wollen wir schwimmen gehen?

Nö.

Hast du schon mal mit Eva getanzt?

Ja, schon öfter.

Sie möchten noch mehr üben?

2 | 55-57 AUDIO-TRAINING

VIDEO-TRAINING

Lernziele

Ich kann jetzt …

A … sagen: Das kann ich (nicht) gut:
Ich kann (nicht) gut Ski fahren. _____ ☺ ☺ ☹

B … sagen: Das möchte ich machen:
Ich will lange schlafen. _____ ☺ ☺ ☹

C … sagen: Das habe ich gestern/früher/… gemacht:
Gestern habe ich gearbeitet. _____ ☺ ☺ ☹

D … sagen: Das habe ich gestern/früher/… gemacht:
Am Wochenende bin ich Fahrrad gefahren. _____ ☺ ☺ ☹

E … Tipps fürs Sprachenlernen geben:
Du kannst im Bus Vokabeln lernen. _____ ☺ ☺ ☹

… sagen: Das finde ich (nicht) wichtig:
Den Tipp finde ich wichtig. _____ ☺ ☺ ☹

Ich kenne jetzt …

… 5 Tipps fürs Sprachenlernen:
spazieren gehen und Vokabeln lernen, …

… 5 Freizeitaktivitäten:
Fußball spielen, singen, …

Zwischendurch mal ...

FILM

Ui!

1 Sehen Sie die Filmszenen an. Welche Ausrufe kennen Sie schon?

2 Arbeiten Sie mit Ihrer Partnerin / Ihrem Partner.
Suchen Sie drei Ausrufe aus und spielen Sie selbst kleine Szenen.

3 Spielen Sie die Szenen im Kurs vor.

LIED

2 ◀)) 58 **1** Hören Sie das Lied und lesen Sie den Text.
Was passt? Ordnen Sie zu.

A ○   B ③   C ○   D ○

Der App-Depp

1
Ich will gern Gitarre spielen.
Ich kann nicht Gitarre spielen.
Sag, kannst du Gitarre spielen?

Gitarre spielen? Ich? Nein!
Meinst du denn, ich bin ein Depp?
Ich habe die Gitarren-App!

2
Ich will so gern mal Fußball spielen.
Ich kann nicht Fußball spielen.
Sag, kannst du denn Fußball spielen?

Fußball spielen? Ich? Nein!
Meinst du denn, ich bin ein Depp?
Ich habe doch die Fußball-App!

3
Ich will so gern mal Opern singen.
Ich kann keine Opern singen.
Sag, kannst du denn Opern singen?

Opern singen? Ich? Nein!
Meinst du denn, ich bin ein Depp?
Ich hab doch schon die Opern-App!

4
Ich will gern mal richtig lachen.
Ich kann nicht so richtig lachen.
Sag, kannst du denn richtig lachen?

Richtig lachen? Ich? Nein!
Meinst du denn, ich bin ein Depp?
Ich hab doch schon die Lach-App!

2 ◀)) 58 **2** Hören Sie noch einmal und singen
Sie in zwei Gruppen mit.

3 Sammeln Sie mit Ihrer Partnerin/
Ihrem Partner weitere App-Ideen
und schreiben Sie neue Strophen
für das Lied.

Back-App
Tanz-App
Klavier-App
...

Ich will so gern mal Kuchen backen.
Ich kann nicht Kuchen backen.
Sag, kannst du denn Kuchen backen?
...

Beruf und Arbeit

Folge 8: Total fotogen

1 Sehen Sie die Fotos an. Was meinen Sie? Was ist richtig? Kreuzen Sie an.

a Wo spielt die Geschichte?
○ in Sofias Praxis
○ im Krankenhaus

b Was machen Lara und Tim?
○ ein Interview für den Deutschkurs
○ ein Interview für eine Zeitung oder das Fernsehen

c Sie sprechen mit Sofia über ...
○ Ausbildung und Beruf.
○ Familie und Beruf.

d Wer ist der Mann auf Foto 1?

○ Sofias Chef   ○ Sofias Patient

e Was ist der Mann von Beruf?

○ Journalist   ○ Hausmeister

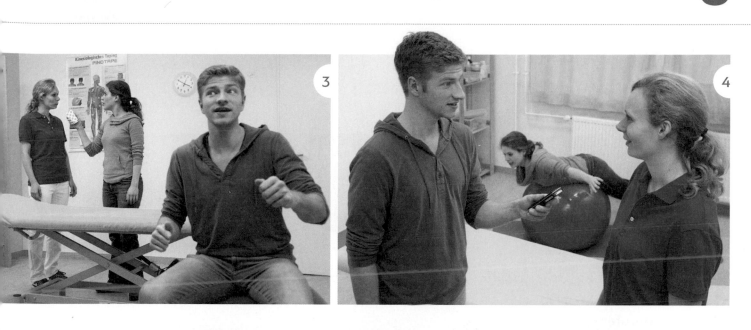

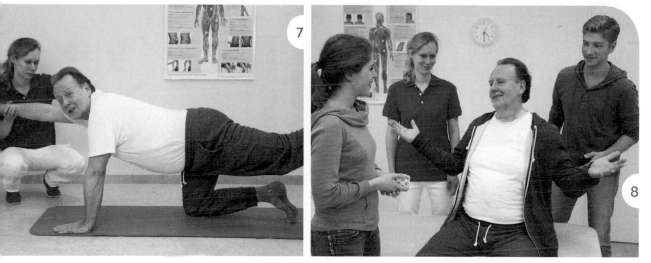

Laras Film

3 ◀)) 1–8 **2 Hören Sie und vergleichen Sie.**

3 ◀)) 1–8 **3 Hören Sie noch einmal und ordnen Sie zu.**

Physiotherapeutin   Patient   Hausmeister   Chef   Praxis

Beruf   Journalisten   ~~Deutschkurs~~   35

a Lara will ein Interview für den _Deutschkurs_____ machen.
  Das Thema ist „Arbeit und _____".

b Herr Koch ist _____ von Beruf. Er kommt auch zum Interview.

c Sofia ist _____ von Beruf. Sie hat eine Ausbildung gemacht.

d Sofia hat zuerst drei Jahre in einer _____ gearbeitet.

e Sofias _____ war sehr gut. Aber nun hat Sofia eine eigene Praxis.

f Herr Koch ist der _____ von Sofia.

g Herr Koch arbeitet seit _____ Jahren als Hausmeister.

h Herr Koch denkt, Lara und Tim sind _____ bei einer Zeitung.

A Ich bin **Physiotherapeutin**.

A1 Wer ist was von Beruf? Ordnen Sie zu.

Präpositionen	
Ich arbeite	als Hausmeister.
	bei TerraMax.

Hausmeister ~~Physiotherapeutin~~ Arzthelferin

Ich bin _Physiotherapeutin_.

Ich bin _____ von Beruf.

Ich arbeite als _____ bei „TerraMaxImmobilien".

A2 Berufe

a Ordnen Sie zu und ergänzen Sie die Tabelle.

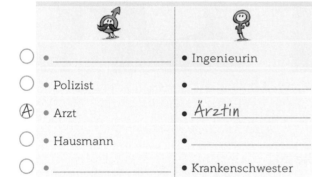

- Ärztin   • Ingenieur   • Hausfrau   • Polizistin   • Krankenpfleger

• _____	• Ingenieurin
• Polizist	• _____
Ⓐ • Arzt	• _Ärztin_
• Hausmann	• _____
• _____	• Krankenschwester

b Machen Sie mit Ihrer Partnerin / Ihrem Partner eine Liste mit noch zehn Berufen.

Lehrer – Lehrerin
...

A3 Im Kurs: Fragen Sie und antworten Sie.

Was sind Sie / bist du von Beruf?
Was machen Sie / machst du (beruflich)?

Ich bin ... / Ich arbeite als ... bei ...
Ich bin Schüler(in) / Student(in).
Ich gehe noch zur Schule. / Ich studiere noch.
Ich mache eine Ausbildung als ...
Ich habe einen Job / eine Stelle als ...
Ich bin angestellt. / selbstständig.
Ich arbeite jetzt nicht. / Ich bin nicht berufstätig.
Ich bin zurzeit arbeitslos.

◆ Was bist du von Beruf?
○ Ich bin Studentin und ich habe einen Job als Babysitterin. Und du? Was machst du?

3 ◀)) 9 **B1 Hören Sie und verbinden Sie.**

a Wann hast du die
Ausbildung gemacht?

b Und wie lange hat die
Ausbildung gedauert?

c Und seit wann bist du schon
selbstständig?

Meine Praxis habe ich
jetzt seit vier Jahren.

Vor zehn Jahren.

Drei Jahre.

3 ◀)) 10 **B2 Interview mit Herrn Koch**

Ergänzen Sie die Antworten. Hören Sie dann und vergleichen Sie.

◆ Wie lange arbeiten Sie
schon als Hausmeister?

○ 38 Jahre!

◆ Wann haben Sie die
Ausbildung gemacht?

○ _____ 40 Jahren!

◆ Und seit wann arbeiten
Sie bei „TerraMaxImmobilien"?

○ _____ 35 Jahren!

Herr Koch

temporale Präpositionen
Wann haben Sie die Ausbildung gemacht?
Vor zehn Jahren. / Vor zwei Monaten. / 2012.
Wie lange hat die Ausbildung gedauert?
Drei Jahre. / Sechs Monate.
Seit wann / Wie lange bist du schon selbstständig?
Seit vier Jahren. / Seit acht Monaten. / Seit 2014.

B3 Eine Bewerbung

Frau Szabo möchte ein Praktikum bei der Firma „mediaplanet" machen. Der Abteilungsleiter
Herr Winter hat noch Fragen. Lesen Sie die E-Mail von Frau Szabo und notieren Sie die Fragen.

E-Mail senden

Sehr geehrter Herr Winter,
ich möchte sehr gern in Ihrer Marketing-Abteilung ein Praktikum
machen. Ich bin Ungarin und habe in Budapest Wirtschaft und
Marketing studiert und gerade mein Diplom gemacht.
Jetzt lebe ich in Deutschland und mache im Moment ein
Praktikum bei „Inova-Marketing" in Düsseldorf. Ich habe auch
schon im Büro bei „S & P Media" in Köln gearbeitet. Ich spreche
sehr gut Englisch und lerne auch Deutsch.
Für weitere Informationen stehe ich Ihnen gern zur Verfügung.
Mit freundlichen Grüßen
Katalin Szabo

1 Wann?
2 Seit wann?
3 Wie lange schon?
4 Wann?
5 Seit wann?

1 Wann haben Sie
das Diplom gemacht?
2 Seit wann leben Sie ...

3 ◀)) 11 **B4 Hören Sie das Telefongespräch.**

Ordnen Sie die Antworten den Fragen aus B3 zu.

○ Seit einem Monat.   ① Vor einem Jahr.   ○ Schon vier Jahre.

○ Das war vor zehn Monaten.   ○ Seit sechs Monaten.

temporale Präpositionen + Dativ		
		einem Monat
vor		einem Jahr
seit		einer Woche
		sechs Monaten

B5 Unser Kursalbum: Machen Sie ein Album oder eine Internetseite.

a Notieren Sie Fragen für ein Interview mit Ihrer Partnerin / Ihrem Partner.

Wo ...?   Was ...?   Wann ...?   Wie lange ...?
Seit wann ...?   Wie alt ...?   ...

geboren   leben   heiraten   Deutsch lernen
beruflich machen   eine Ausbildung machen
studieren   arbeiten als   Hobbys   Kinder   ...

Wann / Wo bist du geboren?
Wo hast du gelebt?
Wie lange lernst du schon Deutsch?
Was machst du beruflich?
Hast du Kinder?
Wie alt ...?
...

b Stellen Sie Ihrer Partnerin / Ihrem Partner die Fragen.

Antonio, wann bist du eigentlich geboren?

Ich bin 1989 in Italien geboren.

Wo hast du gelebt?

Ich habe in Florenz und später in Rom gelebt.

Was machst du beruflich?

In Rom habe ich als Reiseführer gearbeitet. Ich habe Touristen die Stadt gezeigt.

Oh, interessant! Und was machst du jetzt?

Man schreibt:	Man sagt:
1989	19hundert89
2015	2tausend15

c Schreiben Sie einen Text über Ihre Partnerin / Ihren Partner wie in den Beispielen.

Das ist Antonio.
Er ist 1989 in Italien geboren. Er hat in Florenz und Rom gelebt. Von Beruf ist er Reiseführer. Jetzt lernt er Deutsch und arbeitet schon seit ...

⌂ Startseite   ✉ Kontakt

Mein Deutschkurs

Mein Kursalbum
Kurszeiten
Kursmitglieder

Das ist Frida. Sie ist 1992 in Puebla in Mexiko geboren. Von 2010 bis 2013 hat sie in Mexiko-Stadt gelebt. Vor drei Monaten war sie in Deutschland und hat dort ein Praktikum gemacht ...

3 ◀) 12–13 **C1 Hören Sie und ordnen Sie zu.**

war ~~hatte~~ Hattest war

1
◆ _____ du dann gleich deine eigene Praxis?
○ Nein, nein! Ich _hatte_ ja noch fast keine Berufserfahrung.
2
◆ Wie _____ dein Chef?
○ Er _____ sehr, sehr professionell.

C2 Annas Blog: Früher und heute

a Annas Job früher und heute. Lesen Sie und ergänzen Sie die Tabelle.

Meine Jobs

Vor einem Jahr habe ich in einem Café gearbeitet. Ich hatte richtig viel Arbeit und oft Stress. Mein Chef war gar nicht nett. Mein Deutsch war schlecht. Ich habe die Kunden manchmal nicht verstanden. Ich glaube, ich war keine gute Kellnerin.
Heute arbeite ich in einem Restaurant. Ich habe nicht so viel Arbeit. Und meine Chefin ist toll! Mein Deutsch ist jetzt sehr gut. Heute bin ich eine super Kellnerin. ☺

	früher	heute
viel Arbeit?	viel Arbeit	
Chef/Chefin?		
Deutsch?		
gute Kellnerin?		ja

b Sprechen Sie.

	sein				haben	
	Präsens	Präteritum			Präsens	Präteritum
ich	bin	war		ich	habe	hatte
du	bist	warst		du	hast	hattest
er/es/sie	ist	war		er/es/sie	hat	hatte
wir	sind	waren		wir	haben	hatten
ihr	seid	wart		ihr	habt	hattet
sie/Sie	sind	waren		sie/Sie	haben	hatten

Früher hatte Anna viel Arbeit. Heute hat sie nicht so viel Arbeit.

⇆ **C3 Im Kurs: Wie war Ihr erster Job? Was machen Sie heute?**

Schreiben Sie einen Text. Mischen Sie die Zettel. Die anderen raten: Wer ist wer?

Ich war ...
Heute arbeite ich ...

[Ich war Verkäufer(in)/Architekt(in)/Arbeiter(in)/...
Ich hatte viel/wenig Arbeit./keine Berufserfahrung./viel/keinen Spaß.
Der Job war (nicht) einfach.
Der Chef war/Die Kollegen waren (nicht) sehr nett./professionell.]

D Praktikums- und Jobbörse

D1 Job gesucht!

a Lesen Sie und markieren Sie.

Was machen die Personen?   Für wie lange suchen die Personen einen Job?

Ich heiße Mika Salonen und bin 25 Jahre alt. Ich komme aus Turku und arbeite seit drei Jahren als Koch in einem Restaurant. Mit 20 war ich mal für neun Monate in Österreich, in Bregenz. Dort habe ich ziemlich gut Deutsch gelernt. Jetzt möchte ich aber noch mehr Deutsch lernen und suche für ein Jahr einen Job in der Gastronomie in Österreich, in der Schweiz oder in Deutschland.

Ich bin Radha Arora, 23, und komme aus Indien. Seit drei Monaten bin ich in Deutschland. Ich studiere Informatik an der Universität in Würzburg. Mein Deutsch ist leider noch nicht sehr gut.
Ich suche einen Job für die Semesterferien. Für einen Monat im Sommer. Vielleicht bekomme ich ja einen Job mit vielen Kollegen, dann kann ich arbeiten *und* Deutsch lernen.

Hallo, mein Name ist Brenda Halligan. Ich bin Amerikanerin und studiere Eventmanagement in Boston. Bald gehe ich für drei Monate nach Europa und mache einen Monat lang ein Praktikum bei einer Konzertagentur in Hamburg. Danach suche ich noch für zwei Monate ein Praktikum in Österreich oder in der Schweiz. Im Herbst fängt dann mein Studium wieder an. Im letzten Jahr hatte ich für sechs Wochen einen Job bei einem Catering-Service in Berlin.

b Lesen Sie die Anzeigen.
Welche Anzeige passt zu welcher Person? Ordnen Sie zu.

Originell Catering & Events Zürich

Branche: Gastronomie / Tourismus / Eventmanagement
Wir bieten von April bis Oktober Praktikumsstellen/Jobs für zwei Monate oder mehr. Kontakt:

A   *wiese@originell-catering.ch*

Hotel Kaiserhof Wien

Sie kochen gern? Sie sind kreativ und lernbereit? Wir suchen *einen Koch/ eine Köchin* und *Auszubildende als Koch/Köchin* und *Eventmanager (m/w)* für mindestens drei Monate. Bewerbungsunterlagen bitte an:

B   *maria.bernhart@kaiserhof.at*

Phill GmbH, Berlin

Sie studieren Wirtschaft, Mathematik, Informatik und haben sehr gute Englischkenntnisse. Bei uns arbeiten Sie im Team und lernen Controlling-Instrumente in der Praxis kennen. Wir bieten Praktikumsstellen für mindestens einen Monat an.
praktikum@phill.de
C

	Mika	Radha	Brenda
Anzeige			

temporale Präposition + Akkusativ	
für	einen Monat
	ein Jahr
	eine Woche
	sechs Wochen

SCHON FERTIG? Haben Sie schon mal ein Praktikum / einen Job gemacht? Schreiben Sie.

1 ◀)) 14 **E1 Bewerbung**

Lesen Sie die Stellenanzeige und hören Sie das Telefongespräch. Was ist richtig? Kreuzen Sie an.

Modehaus Letters   Branche: Handel/Gewerbe

Sie haben die Schule beendet und
suchen Ihren Traumjob im Bereich Mode?

WIR SUCHEN PRAKTIKANTEN!

Kontakt: ✆ 040/688 57 74; *karriere@letters.de*

jeden Montag = montags
auch so: dienstags,
                mittwochs,
                donnerstags, ...

jeden Vormittag = vormittags
auch so: morgens, mittags,
                abends, ...

a Das Praktikum dauert mindestens   ○ zwei Monate.   ✗ zwei Wochen.
b Die Praktikanten arbeiten   ○ montags bis freitags von 8 bis 16 Uhr.   ○ auch am Wochenende.
c Die Firma will eine Bewerbung   ○ nur per Telefon.   ○ schriftlich.

E2 Sie haben noch Fragen zu einer Praktikumsstelle. Spielen Sie Gespräche.

Firma: Flughafen Frankfurt
Gesucht: Praktikant (m/w) im Bereich Logistik
Praktikumsdauer: 2–4 Monate im Herbst/Winter
Arbeitszeit: Mo–Fr 8–17 Uhr
Vergütung: 500 Euro pro Monat
E-Mail: info@frankfurter-flughafen.de

Firma: Online-Spiel-Studios
Gesucht: Praktikant (m/w) als Spieletester
Praktikumsdauer: 3–4 Monate im Sommer
Arbeitszeit: Mo–Fr 9–18 Uhr
Vergütung: 450 Euro pro Monat
Kontakt: warmer@spielestudios.de

◆ Guten Tag.

○ Guten Tag, mein Name ist ...
   Ich habe Ihre Anzeige gelesen.
   Sie suchen eine Praktikantin / einen Praktikanten
   im Bereich ... / als ... Ist die Stelle noch frei?

◆ Ja.

○ Und wie lange dauert das Praktikum?

◆ Wir suchen Praktikanten für
   ... Monate / im Frühling/...

○ Aha, und wie ist die Arbeitszeit?

◆ Praktikanten arbeiten bei
   uns normalerweise ...

○ Bekomme ich für das Praktikum auch Geld?

◆ Ja, wir zahlen ... pro
   Monat./Stunde.

○ Ah ja, super. Ich möchte sehr gern ein Praktikum
   bei Ihnen machen. Geht das ab ...? / für ... Monate?

◆ Ja, schicken Sie Ihre Bewerbung
   bitte per E-Mail.

○ Vielen Dank. Auf Wiedersehen.

Grammatik und Kommunikation

Grammatik

1 Nomen: Wortbildung ÜG 11.01

-in

• der Ingenieur	• die Ingenieurin
• der Arzt	• die Ärztin
	⚠ • die Ingenieurinnen
⚠ • der Hausmann	• die Hausfrau
• der Krankenpfleger	• die Krankenschwester

Ergänzen Sie.

Er ist _____ von Beruf.

Sie ist _____ von Beruf.

2 Lokale Präposition: *bei*, modale Präposition: *als* ÜG 6.03

Wo arbeiten Sie?	
Ich arbeite	als Hausmeister.
	bei TerraMax.

Und Sie? Was sind Sie von Beruf? Wo arbeiten Sie? Schreiben Sie.

Ich ...

3 Temporale Präpositionen: *vor, seit* + Dativ ÜG 6.01

		Singular			Plural	
Wann?						
Ich habe	vor	• einem Monat	• einem Jahr	• einer Woche	• zwei Monaten	die Ausbildung gemacht.
Seit wann? / Wie lange?						
Ich bin	seit	• einem Monat	• einem Jahr	• einer Woche	• zwei Jahren	selbstständig.

4 Temporale Präposition: *für* + Akkusativ ÜG 6.01

	Singular		Plural		
Für wie lange?					
Ich suche für	• einen Monat	• ein Jahr	• eine Woche	• zwei Wochen	einen Job.

Schreiben Sie fünf Sätze.

Sie haben fünf Wünsche frei! Wo oder wer möchten Sie für einen Tag, eine Woche oder ein Jahr sein?

Ich möchte gern für ein Jahr in Italien am Meer sein.

5 Präteritum: *sein* und *haben* ÜG 5.06

	sein		haben	
	Präsens	Präteritum	Präsens	Präteritum
ich	bin	war	habe	hatte
du	bist	warst	hast	hattest
er/es/sie	ist	war	hat	hatte
wir	sind	waren	haben	hatten
ihr	seid	wart	habt	hattet
sie/Sie	sind	waren	haben	hatten

Früher und heute. Schreiben Sie drei Sätze über sich.

Früher war/hatte ich ...
Heute bin/habe ich ...

Kommunikation

ÜBER DEN BERUF SPRECHEN: Was sind Sie von Beruf?

Was sind Sie / bist du von Beruf?
Was machen Sie / machst du (beruflich)?
Ich bin ... / Ich arbeite als ... bei ... | Ich bin Schüler(in) / Student(in).
Ich gehe noch zur Schule. | Ich studiere noch. | Ich mache eine
Ausbildung als ... | Ich habe einen Job / eine Stelle als ... | Ich bin
angestellt. / selbstständig. | Ich arbeite jetzt nicht. | Ich bin nicht
berufstätig. | Ich bin zurzeit arbeitslos.

ÜBER PRIVATES SPRECHEN: Wann bist du geboren?

Wann bist du geboren?	*19../20..*
Wo bist du geboren?	*In ...*
Wo hast du gelebt / gewohnt?	*In ... und in ...*
Seit wann / Wie lange lernst du schon Deutsch?	*Seit zwei Jahren. / Zwei Jahre.*
Wann hast du deine Ausbildung / dein Diplom / ... gemacht?	*Vor einem Jahr ... / Vor sechs Monaten. / 19../20..*

ÜBER BERUFSERFAHRUNGEN SPRECHEN: Ich hatte viel Arbeit.

Ich war Verkäufer(in). / Architekt(in). / Arbeiter(in). / ...
Ich hatte viel / wenig Arbeit. / keine Berufserfahrung. / viel / keinen Spaß.
Der Job war (nicht) einfach. | Der Chef war (nicht) professionell.
Die Kollegen waren (nicht) sehr nett.

AM TELEFON NACH EINER STELLE FRAGEN: Ist die Stelle noch frei?

Guten Tag, mein Name ist ... | Ich habe Ihre Anzeige gelesen.
Sie suchen eine Praktikantin / einen Praktikanten im Bereich ... / als ...
Ist die Stelle noch frei? | Wie lange dauert das Praktikum? | Wie ist
die Arbeitszeit? | Bekomme ich für das Praktikum auch Geld?

Praktikanten arbeiten bei uns normalerweise ... | Wir zahlen ... pro
Monat. / Stunde. | Schicken Sie Ihre Bewerbung bitte per E-Mail an ...
Ah ja, super. Ich möchte sehr gern ein Praktikum bei Ihnen machen.
Geht das ab ...? / für ... Monate?

Schreiben Sie über die Berufe von drei Freundinnen / Freunden.

Meine Freundin Tina ist Polizistin, aber sie arbeitet jetzt nicht. Sie hat ein Kind.
Mein Freund ...

Ihr Leben. Schreiben Sie.

Ich bin 1988 in Madrid geboren und habe auch 20 Jahre dort gelebt. Vor ...

Sie möchten noch mehr üben?

3 | 15–17 🔊 AUDIO-TRAINING

VIDEO-TRAINING

Lernziele

Ich kann jetzt ...

A ... sagen: Das ist mein Beruf: *Ich bin Physiotherapeutin.* _____ ☺ ☺ ☹

B ... über Privates / mein Leben / meinen Beruf sprechen:
   In Rom habe ich als Reiseführer gearbeitet. _____ ☺ ☺ ☹

C ... über früher sprechen: *Ich hatte viel Arbeit.* _____ ☺ ☺ ☹

D ... Stellenanzeigen und Texte zum Thema „Praktikum" verstehen:
   Wir bieten Praktikumsstellen / Jobs ... _____ ☺ ☺ ☹

E ... am Telefon nach einer Stelle fragen: *Ist die Stelle noch frei?* _____ ☺ ☺ ☹

Ich kenne jetzt ...

8 Berufe:
der Arzt, ...

_____

5 Wörter zum Thema *Arbeit und Beruf*:
das Praktikum, ...

_____

Zwischendurch mal ...

Heidis Lieblingsladen

 1 Kenans Arbeitstag. Sehen Sie den Film an und ordnen Sie.

A   B   C

Das ist Kenan Cinar. Er hat einen Obst- und Gemüseladen. Wie ist sein Arbeitstag?

○ Laden öffnen   ○ Laden schließen   ○ Kunden kommen
○ zu seinem Laden fahren und alles vorbereiten   ② in die Großmarkthalle fahren
○ Obst und Gemüse kaufen   ① früh aufstehen   ○ aufräumen und sauber machen

2 Wie ist Ihr Arbeitstag/Alltag? Machen Sie Fotos und erzählen Sie.

PROJEKT

Mein Praktikum

Pablo

Ich suche für drei Monate ein Praktikum in Hamburg. Medien und Journalismus finde ich besonders interessant.

Ich möchte für zwei bis drei Monate ein Praktikum in der IT-Branche machen. Sehr gern in Österreich.

Kim

1 Lesen Sie und ergänzen Sie.

Name?	Was?	Für wie lange?	Wo?
Pablo	Praktikum Medien/ Journalismus		
Kim			

2 Sie möchten auch ein Praktikum machen.

a Machen Sie eine Tabelle wie in 1 für sich. Tauschen Sie dann Ihre Notizen mit Ihrer Partnerin / Ihrem Partner.

b Suchen Sie im Internet einen Praktikumsplatz für Ihre Partnerin / Ihren Partner.

c Stellen Sie Ihre Ergebnisse im Kurs vor.

Ich habe eine Stelle für Anna gefunden. Sie möchte im Bereich „Personal" ein Praktikum machen. Hier ist eine Anzeige ...

LESEN

Ein ungewöhnlicher Beruf: SENNERIN

1 Lesen Sie den Text und sammeln Sie
weitere Wörter zum Thema „Alm".

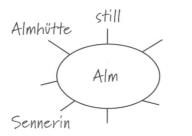

- die Alm
- die Sennerin
- die Kuh, das Kalb
- die Almhütte
- das Gras

STILL

„Still", so heißt ein Dokumentarfilm von Regisseur
Matti Bauer. „Still" bedeutet: ruhig, nicht laut. In den
Bergen in Südbayern ist es sehr still. Dort hat Uschi
einige Sommer lang als **Sennerin** gearbeitet. Mit
5 dreißig **Kühen und Kälbern** ist die junge Frau auf
die **Alm** gegangen. Sie war jedes Mal für vier Monate
dort oben, weit weg von allen anderen Menschen.
In den vier Monaten hat sie in der **Almhütte** gelebt.
Aus der **Kuhmilch** hat Uschi Butter und Käse
10 gemacht. Das Leben auf der Alm war sehr einfach.

Und genau das hat ihr so gut gefallen: Dort oben
hatte sie ihre Ruhe. Uschi mag aber nicht nur die
Stille. Sie hat schon viele Reisen gemacht. Sie hat
die Welt gesehen, war in Nord- und Südamerika, in
15 Thailand und in Neuseeland.
Uschis Eltern sind Bergbauern. Ihr Bauernhof ist
nicht sehr groß. Sie sind nicht mehr jung und sie
haben nur eine Tochter. Aber will Uschi denn
Bäuerin werden? Will sie wirklich so leben wie ihre
20 Eltern? Sie hat lange nachgedacht, dann hatte sie
eine Antwort: Ja, sie will auch Bäuerin sein. Aber
nicht so wie ihre Eltern. Sie hat eine Prüfung
gemacht und ist jetzt Landwirtschaftsmeisterin.
Jetzt hat sie den Bauernhof und ist Bäuerin. Ihr
25 Partner hilft mit. Aber er ist kein Bauer. Er ist Pilot
bei einer Charter-Fluglinie.
Was ist in zwei, drei, fünf oder zehn Jahren? Wie
lange geht das gut? Wir wissen es nicht. Wir wissen
nur: Regisseur Matti Bauer hat Uschi zehn Jahre
30 lang immer wieder besucht und gefilmt. Das Ergebnis: der Dokumentarfilm „Still". Einfach super!

2 Was ist richtig? Lesen Sie den Text noch einmal und kreuzen Sie an.

a Uschi hat einen Sommer als Sennerin gearbeitet. ○
b Es waren auch andere Menschen auf der Alm. ○
c Uschi findet das Leben auf der Alm gut. ○
d Uschi reist gern. ○
e Uschi will nicht mehr auf dem Bauernhof arbeiten. ○
f Uschis Mann ist Bauer. ○

Ich finde das toll. Die Berge gefallen mir.

Man ist ganz allein. Das ist doch langweilig.

3 Wie finden Sie den Beruf „Sennerin/Senner"? Sprechen Sie.

Unterwegs

Folge 9: Na los, komm mit!

1 Haben Sie einen Führerschein? Haben Sie ein Auto? Erzählen Sie.

> Ich habe seit fünf Jahren einen Führerschein.

> Ich brauche kein Auto und ich kann nicht Auto fahren.

2 Sehen Sie die Fotos an. Wo sind Lara und Tim wann? Ordnen Sie die Sätze.

○ Sie sind am Zentralen Omnibusbahnhof.
Sie wollen ein Busticket kaufen.

① Sie sind auf einem Amt. Sie wollen wissen: Ist der Führerschein gültig?

○ Sie sind bei einer Autovermietung. Sie wollen ein Auto mieten.

3 ◀)) 18–25 3 Hören Sie und vergleichen Sie.

3 ◀)) 18–25   **4 Hören Sie noch einmal und korrigieren Sie.**

a Tim möchte ein Auto mieten und nach ~~Polen~~ fahren. *Salzburg*

b Aber mit einem ausländischen Führerschein kann man
  nur acht Monate in Deutschland fahren. _____

c Tim hat einen internationalen Führerschein. _____

d Lara kommt aus der EU. Sie braucht einen internationalen Führerschein. _____

e Lara möchte ein Auto kaufen. _____

f Aber sie bekommt kein Auto. Sie ist zu jung, sie ist erst 21 Jahre alt. _____

g Sie können den Bus nehmen. Sie kaufen Fahrkarten [🎫] im ZOB.
  Die Fahrt dauert nur neun Stunden. _____

EU = ● die Europäische
        Union

Laras
und Tims
Film

A Sie **müssen** einen Antrag **ausfüllen**.

A1 Tim braucht den internationalen Führerschein.
Ordnen Sie zu.

A

B

C

○ Er muss einen Antrag ausfüllen.
○ Er muss einen kanadischen Führerschein haben.
○ Er muss den Ausweis, den Führerschein und ein Foto mitbringen.

Modalverb *müssen*	
ich	muss
du	musst
er/es/sie	muss
wir	müssen
ihr	müsst
sie/Sie	müssen

A2 Ein Auto mieten
Ihre Partnerin / Ihr Partner möchte in Deutschland ein Auto mieten.
Was muss sie/er machen? Sprechen Sie.
Tauschen Sie dann die Rollen.

Er muss einen Antrag ausfüllen .

einen internationalen oder einen EU-Führerschein haben

mindestens 21 Jahre alt sein

einen Personalausweis oder einen Reisepass mitbringen

eine Kreditkarte haben

◆ Ich möchte ein Auto mieten. Wie geht das?
○ Also, du musst ...

3 ◀)) 26 **A3 Eine Fahrkarte kaufen**

a Was ist richtig? Hören Sie und kreuzen Sie an.

1 Der Mann versteht ○ nicht gut Deutsch. ○ den Automaten nicht.
2 Der Fahrkartenautomat ○ funktioniert. ○ funktioniert nicht.
3 Der Mann bekommt ○ eine ○ keine   Fahrkarte.

b Hören Sie noch einmal und ordnen Sie.

○ bezahlen
○ Erwachsener/Kind auswählen
① das Ziel wählen
○ die Fahrkarte und das Wechselgeld nehmen
○ die Fahrkarte stempeln

ich, du, er ...	= spezielle Person
man	= alle / jede Person
⚠ man	≠ Mann

c Sprechen Sie.

⎡ *Zuerst muss man ...   Danach ... und dann ...* ⎤
⎣   *Dann ... Zum Schluss ...* ⎦

⇆ **A4 Was müssen Sie heute noch machen? Erzählen Sie.**

Ich muss heute noch einkaufen und die Wohnung aufräumen ...

B Sieh mal!

9

B1 Komm mit!

3 ◀)) 27 **a** Hören Sie und ordnen Sie zu.

| Bring | Geh | ~~sieh~~ | komm | warte |

◆ Du, _sieh_ mal! Da vorne ist eine Autovermietung.
Da gehen wir jetzt hin und fragen. Na los, _____ mit!

○ Ja, gleich. _____ du schon! Ich will noch schnell in den Laden da. Ich habe so einen Hunger.

◆ Okay. Tim, _____ mal! _____ ein Wasser für mich mit!

Imperativ		
du siehst	→	Sieh mal!
du kommst mit	→	Komm mit!

b Was soll Tim alles machen? Was sagt Lara? Schreiben Sie.

| zu Walter fahren und Lili abholen |
| die Hausaufgaben machen |
| einen Kaffee mitbringen | leise sein |
| Lili die Matheübung erklären |
| eine E-Mail an die Lehrerin schreiben |

Fahr zu Walter und ...

Imperativ		
⚠ du bist ...	→	Sei leise!
du fährst	→	Fahr!

B2 In der Klasse

3 ◀)) 28 **a** Was sagt der Lehrer? Hören Sie und kreuzen Sie an.

○ Seid bitte nicht so laut! ○ Macht doch die Handys aus!
○ Schließt bitte die Bücher! ○ Öffnet bitte die Bücher!
○ Hört doch bitte zu! ○ Lest bitte den Text!
○ Steht bitte nicht auf!

Hört zu!
Hört bitte zu!
Hört doch (bitte) zu!

Imperativ		
ihr hört zu	→	Hört zu!
⚠ ihr seid ...	→	Seid nicht so laut!

b Was sollen die anderen in Ihrem Kurs tun?
Schreiben Sie mit Ihre r Partnerin / Ihrem Partner drei Sätze.   *Kommt doch bitte pünktlich!*

B3 In der Sprachenschule

Was muss man machen? Lesen Sie und ergänzen Sie die Tabelle.

Anmeldung zum Sprachunterricht
Warten Sie bitte im Wartebereich. Bringen Sie bitte Ihren Pass zur Anmeldung mit. Bezahlen Sie die Kursgebühren an der Kasse im 1. Stock. Seien Sie bitte leise. Die anderen haben Unterricht.

Imperativ		
Sie warten	→	Warten Sie!
Sie bringen ... mit	→	_____ !
Sie bezahlen	→	_____ !
⚠ Sie sind leise	→	_____ bitte leise!

⇆ B4 Regeln einmal anders

Schreiben Sie mit Ihrer Partnerin / Ihrem Partner drei Regeln für die Kursleiterin / den Kursleiter.

Geben Sie keine Hausaufgaben! Lachen Sie viel!

C Sie **dürfen** in der EU Auto **fahren**.

3 ◀)) 29 **C1 Was ist richtig? Hören Sie und kreuzen Sie an.**

a ○ Tim ○ Lara darf im Moment nicht in Deutschland Auto fahren.
    ○ Er ○ Sie hat keinen internationalen Führerschein.
b ○ Tim ○ Lara muss einen internationalen Führerschein beantragen.
c ○ Tim ○ Lara darf in der EU Auto fahren.

> Sie dürfen in der EU Auto fahren.

Modalverb *dürfen*	
ich	darf
du	darfst
er/es/sie/man	darf
wir	dürfen
ihr	dürft
sie/Sie	dürfen

C2 Spielen Sie Gespräche mit Ihrer Partnerin / Ihrem Partner.

A  B  C  D

du – das Handy
ausmachen –
nicht telefonieren

ihr – die Zigaretten –
ausmachen – nicht
rauchen

du – langsam
fahren –
nur 30 fahren

wir – einen neuen
Parkplatz suchen –
nicht parken

◆ Achtung! Du musst das Handy ausmachen.
○ Warum denn?
◆ Hier darf man nicht telefonieren.

⇆ C3 Eine Fernbus-Reise: Was ist erlaubt? Was ist verboten? Was meinen Sie?
Notieren Sie „Ihre" Regeln und sprechen Sie mit Ihrer Partnerin / Ihrem Partner.

| Fahrrad mitnehmen | Eis essen | Gepäck abgeben | Musik hören |

| Fahrkarte kaufen | rauchen | Laptop benutzen | schlafen | ... |

Unsere Regeln

man darf:	man darf nicht:	man muss:
Fahrrad mitnehmen	Eis essen	Gepäck abgeben

◆ Man muss das Gepäck abgeben.
○ Ja. Und man darf im Bus kein Eis essen. Das ist verboten.
◆ Aber man darf sein Fahrrad mitnehmen.

D1 Lesen Sie die Informationsbroschüre.

Worüber bekommen Sie Informationen? Kreuzen Sie an.

○ Sehenswürdigkeiten   ○ Hotels   ○ Öffnungszeiten
○ Preise   ○ Führungen   ○ Konzertprogramm

SALZBURG IN 100 MINUTEN

Sie sind nur für wenige Stunden in Salzburg? Besichtigen Sie die „Mozartstadt" in nur 100 Minuten. Auf dem Stadtrundgang lernen Sie die wichtigsten Sehenswürdigkeiten kennen.

Beginnen Sie den Rundgang an der Getreidegasse. Sie ist **die** Einkaufsstraße in Salzburg – hier gibt es einfach alles. In der Getreidegasse 9 ist der berühmte Komponist Wolfgang Amadeus Mozart geboren.

MOZARTSTADT SALZBURG
• ca. 148.000 Einwohner
• Festspielstadt (Salzburger Festspiele)
• Informationen, Stadtpläne, Hotelauskunft, Tickets und vieles mehr gibt es bei der Tourist-Info Salzburg

Mehr Zeit? Besuchen Sie das Museum in Mozarts Geburtshaus. Öffnungszeiten: täglich 9.00–17.30 Uhr, Preis: 10,00 Euro für Erwachsene, 3,50 Euro für Kinder, 50 % Ermäßigung für Gruppen, Studenten und Senioren

Spazieren Sie weiter zur Hofstallgasse. Dort sehen Sie drei Spielorte für die Salzburger Festspiele: das Haus für Mozart, die Felsenreitschule und das Große Festspielhaus. Das ganze Jahr finden hier Konzerte und Opernaufführungen statt.

Mehr Zeit? Besichtigen Sie die Festspielhäuser bei einer Führung: täglich um 14.00 Uhr, Dauer: 50 Minuten, Sprachen: Deutsch und Englisch

Nun kommen Sie zum Dom. Dort findet jedes Jahr die Aufführung des „Jedermann" statt. Vom Dom sind es nur ein paar Schritte zum Residenzplatz. Dort gibt es viele schöne Gebäude, zum Beispiel die Neue Residenz mit dem Glockenspiel.

Tipp: Täglich um 7.00, 11.00 und 18.00 Uhr spielt das Glockenspiel Melodien von Haydn und Mozart.

D2 Als Tourist in Salzburg

a Lesen Sie noch einmal und beantworten Sie die Fragen.

1 Was kann man in der Getreidegasse machen?
2 Wie lange ist das Museum in Mozarts Geburtshaus geöffnet?
3 Wie viel kostet der Eintritt für Erwachsene?
4 Wann kann man die Festspielhäuser besichtigen?
5 Wie lange dauert die Führung?
6 Wie oft spielt das Glockenspiel in der Neuen Residenz?
7 Wo gibt es Stadtpläne?

1 einkaufen, Mozarts Geburtshaus besuchen

Wie lange ...?
　Eine Stunde.
　45 Minuten.
　Von ... bis ...

b Sprechen Sie mit Ihrer Partnerin / Ihrem Partner.

◆ Entschuldigung. Ich brauche eine Auskunft. Darf ich Sie etwas fragen? Was kann man in der Getreidegasse machen?
○ Man kann dort einkaufen und Mozarts Geburtshaus besuchen.

SCHON FERTIG? Schreiben Sie noch zwei Fragen für Ihre Partnerin / Ihren Partner.

E Ein Zimmer buchen

E1 Was passt? Sehen Sie die Hotel-Angebote an und kreuzen Sie an.

	Backpacker Hostel	Easy Tourist Hotel	Hotel Romantica
liegt im Zentrum	○	☒	☒
Frühstück inklusive	○	○	○
Internet kostenlos	○	○	○
Klimaanlage ❄	○	○	○
Balkon	○	○	○
Restaurant	○	○	○
Schwimmbad	○	○	○

---

www.hotelbuchen.de

ERGEBNISSE　　　　　　　　　　　Ihre Suche: Schweiz -> Luzern　🔍 Luzern

Backpacker Hostel ★ ★　　　　　　　　　　**Gut 7,2**

DZ 89,00 CHF (72,82 EUR)　　　　　　　　　　*Ergebnis von 1847*
Lage: in 30 Minuten zur Altstadt und zum See; Bushaltestelle 2 Minuten　*Bewertungen*
Zimmer: Dusche, WC, TV
Frühstück extra, Restaurant, Bar (bis 24 Uhr geöffnet)

👍　**Supermarkt neben dem Haus, Parkplätze kostenlos**

Easy Tourist Hotel ★ ★ ★　　　　　　　　　**Sehr gut 8,5**

DZ mit Frühstück 109,00 CHF (89,02 EUR)　　　　　*Ergebnis von 871*
Lage: zentral gelegen in der Altstadt　　　　　　　*Bewertungen*
Zimmer: Dusche, WC, Föhn, TV, Klimaanlage, kostenloses WLAN, Balkon
mit Berg- oder Seeblick

👍　**Hunde erlaubt**

Hotel Romantica ★ ★ ★ ★　　　　　　　　　**Exzellent 9,2**

DZ mit Frühstück 185,00 CHF (151,37 EUR)　　　　　*Ergebnis von 256*
Lage: zentral, Nähe Kongresszentrum　　　　　　　*Bewertungen*
Zimmer: Dusche, WC, Föhn, TV, Klimaanlage, kostenloses WLAN,
Zimmersafe, Restaurant mit Terrasse

👍　**historisches Flair, Schwimmbad, Massage**

E2 Das Hotel liegt im Zentrum.

3 ◀) 30　**a** Was ist für Anna und Moritz wichtig? Hören Sie und kreuzen Sie an.

　　○ Klimaanlage　　○ günstiger Preis　　○ Lage im Zentrum　　○ Bushaltestelle
　　○ kostenloses Internet　　○ Schwimmbad　　○ Haustiere erlaubt　　○ Balkon

3 ◀) 31   **b** Hören Sie weiter und ergänzen Sie das Formular.

Easy Tourist Hotel ★ ★ ★   **Anreise** Fr 07.03.   **Abreise** So 09.03.   IHRE BUCHUNGSBESTÄTIGUNG

Sie buchen: ① Doppelzimmer   **Gast 1** *Vorname:* Moritz   *Familienname:* Burger
⃝ Einzelzimmer   **Gast 2** *Vorname:* Anna   *Familienname:* Hinze-Burger

Adresse:
Königstraße 100, 10115 Berlin
E-Mail-Adresse: m_a_burger@online.com | Telefon: _____

Wünsche an das Hotel: ⃝ Nichtraucherzimmer ⃝ Seeblick ⃝ Bergblick ⃝ Parkplatz
Ankunftszeit (ca.): _____   Weitere Informationen für das Hotel: _____

E3 An der Hotelrezeption

3 ◀) 32   **a** Ordnen Sie zu. Hören Sie dann und vergleichen Sie.

> Wann müssen wir am Sonntag auschecken?
> Da müssen Sie noch kurz warten.   Können Sie das bitte wiederholen?
> Möchten Sie Vollpension oder Halbpension?   ~~Kann ich Ihnen helfen?~~
> Wir haben ein Doppelzimmer reserviert.   Hier, unsere Ausweise.

◆ Grüezi mitenand. *Kann ich Ihnen helfen?*

○ Guten Tag. Mein Name ist Burger. _____

◆ Burger ... Ah ja, Burger, Moritz und Anna. Das Zimmer ist leider noch nicht ganz fertig.
_____ Möchten Sie so lange ein
Kafi Melange trinken?

▲ Wie bitte? _____

◆ Ein Kafi Melange. Das ist ein Kaffee mit Rahm, äh, mit Sahne.

▲ Ach so. Ja, gern.

◆ Fein. ... Ich brauche Ihre Ausweise und Sie müssen bitte das Formular
ausfüllen. _____?

○ Nur Frühstück, bitte. Wir sind den ganzen Tag unterwegs.

▲ _____

◆ Ah, danke. Hier ist Ihr Schlüssel, Zimmer Nummer 234. Der Lift ist dort.

○ Vielen Dank.

▲ Eine Frage noch, bitte: _____

◆ Um 11 Uhr.

ich	helfe
du	hilfst
er/es/sie	hilft

⇄ **b** Spielen Sie zu zweit ein Gespräch wie in a. Tauschen Sie auch die Rollen.
▢

[**SCHON FERTIG?** Schreiben und spielen Sie noch eine Szene.]

Partner A	**Partner B**
• Einzelzimmer reserviert	• Zimmer noch nicht fertig → Cappuccino?
• Halbpension	• Halbpension? Vollpension?
• Frage: von wann bis wann Frühstück?	• Frühstück: 8–10 Uhr

Grammatik und Kommunikation

Grammatik

1 Modalverben: *müssen* und *dürfen* UG 5.11

	müssen	dürfen
ich	**muss**	**darf**
du	musst	darfst
er/es/sie/man	**muss**	**darf**
wir	müssen	dürfen
ihr	müsst	dürft
sie/Sie	müssen	dürfen

2 Modalverben im Satz UG 10.02

	Position 2		Ende
Er	muss	einen Antrag	ausfüllen.
Sie	dürfen	in der EU Auto	fahren.

3 Pronomen: *man* UG 3.01

Zuerst muss man das Ziel wählen.
= Zuerst müssen <u>alle</u> das Ziel wählen.

4 Imperativ UG 5.19

		⚠	⚠
(du)	Komm mit! Sieh mal!	Fahr langsam!	Sei leise!
(ihr)	Hört zu!		Seid leise!
(Sie)	Warten Sie bitte!		Seien Sie leise!

5 Verb: Konjugation UG 5.01

	helfen
ich	helfe
du	hilfst
er/es/sie	hilft
wir	helfen
ihr	helft
sie/Sie	helfen

Hier darf man nicht essen.

Hier darf man rauchen.

Hier muss man leise sein.

Zu Hause: Wer muss was machen? Wer darf was?
Schreiben Sie vier Sätze.

Meine Schwester muss immer das Bad putzen.
...

Merke:
☹ So ist es nicht sehr freundlich:
Komm!

☺ So ist es freundlich:
Komm bitte!
Komm doch bitte!

~~du~~ siehst ⇒ Sieh!
~~ihr~~ seht ⇒ Seht!

⚠ du schl**ä**fst ⇒ Schl**a**f!

Sie sehen
✕
Sehen Sie!

Kommunikation

NACHFRAGEN: Wie bitte?

Wie bitte?
Können Sie das bitte wiederholen?
Ich brauche eine Auskunft.
Darf ich Sie etwas fragen?

IM HOTEL EINCHECKEN: Ich habe ein Einzelzimmer reserviert.

Kann ich Ihnen helfen?

Das Zimmer ist leider noch nicht ganz fertig. Da müssen Sie noch kurz warten.

Möchten Sie Vollpension oder Halbpension?

Ich brauche Ihren Ausweis und Sie müssen bitte das Formular ausfüllen.

Hier ist Ihr Schlüssel. Der Lift ist dort.

Ich habe ein Einzelzimmer/ Doppelzimmer reserviert.

Nur Frühstück, bitte.

Hier, unsere Ausweise.

Wann muss ich auschecken? Um 11 Uhr.

Hier ist Ihr Schlüssel.

EINE AUSSAGE GLIEDERN: Zuerst ...

Zuerst muss man ...
Danach ... und dann ...
Dann ...
Zum Schluss ...

Was haben Sie heute im Deutschkurs gemacht? Schreiben Sie.

Zuerst ...
Dann ...
Danach ...
Zum Schluss ...

Sie möchten noch mehr üben?

3 | 33–35 🔊 AUDIO-TRAINING   VIDEO-TRAINING

Lernziele

Ich kann jetzt ...

A ... sagen: Das muss ich machen: *Ich muss den Antrag ausfüllen.* ____ ☺ ☺ ☹
B ... Aufforderungen verstehen und Anweisungen geben:
   Bring bitte ein Wasser für mich mit. ____ ☺ ☺ ☹
C ... sagen: Das ist erlaubt und verboten:
   Sie dürfen in der EU Auto fahren. ____ ☺ ☺ ☹
D ... eine Informationsbroschüre verstehen ____ ☺ ☺ ☹
E ... ein Zimmer buchen:
   Wir haben ein Doppelzimmer reserviert. ____ ☺ ☺ ☹

Ich kenne jetzt ...

5 Wörter zum Thema
Sehenswürdigkeiten:
die Führung, ...

5 Wörter zum Thema
Hotel und Reisen:
das Einzelzimmer, ...

COMIC

Der kleine Mann: Lachen Sie!

Geben Sie Ihrer Partnerin / Ihrem Partner drei Anweisungen. Sie/Er führt die Anweisungen aus.
Tauschen Sie dann die Rollen.

• ein Wort schreiben • ein Lied singen aufstehen pfeifen • ein Bild malen ...

SCHREIBEN

Eine E-Mail aus ...

E-Mail senden

Hallo Paula,
ich bin gut wieder in Bukarest angekommen.
Ich wohne ganz in der Nähe von dem Gebäude
auf dem Foto. Du musst mich bald besuchen.
Das Essen bei uns ist so lecker! Und wir können
viel machen, zum Beispiel tanzen gehen.
Bis bald! Dorina

Schreiben Sie aus dem Urlaub / aus Ihrem Heimatland eine E-Mail an eine Freundin / einen Freund.
– Wo sind Sie? Was gefällt Ihnen?
– Was kann man dort machen?

> *Ich bin jetzt in ... | ... ist sehr schön/interessant.*
> *Hier gibt es ... (Museen, Parks, Restaurants, ...)*
> *Hier können wir viel machen, zum Beispiel ...*
> *Du musst mich bald besuchen. | Bis bald!*

Karneval in Deutschland. Ist das lustig?

A

Ja, das ist lustig! Ich liebe den Karneval. In Deutschland beginnt er am 11. November um 11 Uhr und 11 Minuten. Richtig lustig ist er aber erst in den letzten Wochen. An den
5 letzten sechs Karnevalstagen sind die ganz großen Feste. Das ist meistens im Februar, also mitten im Winter. Da ist es natürlich ziemlich kalt. Trotzdem sind viele Tausend Menschen auf der Straße. Sie haben Kostüme
10 und Masken, überall ist Musik, man tanzt und singt, man lacht und feiert. Besonders bekannt sind die Feste am Rhein, in den Großstädten Mainz, Köln und Düsseldorf. In Südwestdeutschland, in der deutsch-
15 sprachigen Schweiz und im Westen von Österreich heißt der Karneval „Fasnacht". In den anderen Teilen von Österreich und in Bayern sagt man „Fasching".

B

Nein, das ist in Deutschland überhaupt nicht lustig. In Rio vielleicht schon ... Beginnen wir mal mit dem Wetter: Beim Karneval in Rio de Janeiro ist es schön
5 warm, beim Karneval in Köln ist es kalt und ungemütlich, minus eins bis sieben Grad. Brrr! Was ich nicht so gern mag, ist dieser organisierte Spaß, dieses organisierte Lustigsein. Okay, das Sambatanzen in Rio
10 ist auch organisiert. Aber die Musik ist echt cool. Nicht so Humba-humba-täterää-Musik wie in Deutschland. Ich habe nichts gegen Feiern und Feste. Aber bitte keine Karnevalsfeste! Die sind
15 einfach nur langweilig.

1 Sehen Sie die Fotos an. Wen finden Sie sympathisch?

2 Lesen Sie Text A. Ergänzen Sie.
a Der Karneval in Deutschland beginnt am _____ um _____ .
b Die Feste sind meistens im _____ .
c Der Karneval heißt auch _____ oder _____ .

3 Markieren Sie je drei Stichworte in den Texten.
a Was findet die Frau lustig?
b Was findet der Mann nicht gut?

4 Und Sie? Gefällt Ihnen der Karneval 👍 oder nicht 👎 ? Feiern Sie Karneval? Erzählen Sie im Kurs.

Ich finde den Karneval super. Ich tanze so gern und ...

Gesundheit und Krankheit

Folge 10: Unsere Augen sind so blau.

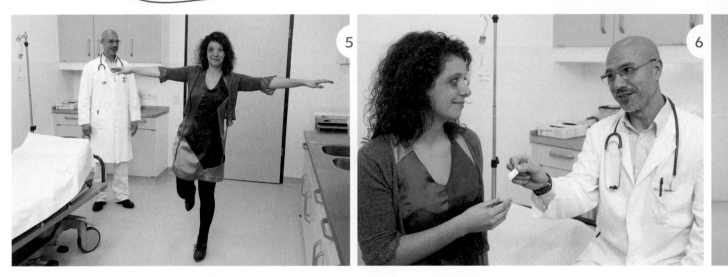

1 Sehen Sie die Fotos an und zeigen Sie.

• der Klub   • die Notaufnahme   • der Arzt   • der Wartebereich   • die Schmerztablette

3 ◀)) 36–43   2 Was meinen Sie? Wer sagt was? Verbinden Sie.
Hören Sie dann und vergleichen Sie.

a Mein Auge  tut weh!

b Meine Freundin hatte einen Unfall.   Lara

c Der Doktor kommt gleich.   Laras Freundin Ioanna

d Na, wo haben Sie denn Schmerzen?   der Arzt

e Wir gehen zum Arzt.   die Mitarbeiterin

f Ich soll das Auge kühlen.

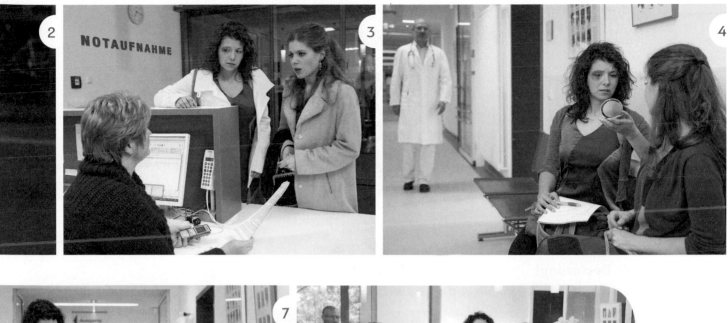

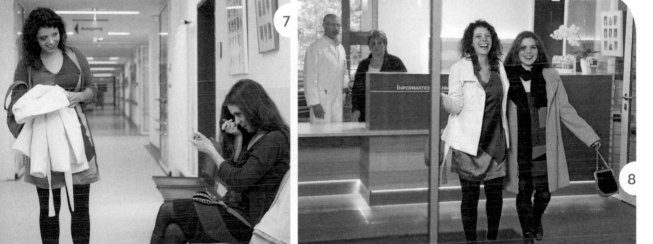

Laras Film

3 ◀) 36–43   **3 Hören Sie noch einmal. Ordnen Sie die Sätze.**

○ Die Mädchen gehen ins Krankenhaus.

① Ioanna und Lara haben im Klub getanzt.

○ Ioanna hat einen Unfall. Das Auge ist blau. Sie hat Schmerzen.

○ Der Arzt sagt: Es ist nicht schlimm.

○ Ioanna füllt ein Formular aus.

○ Lara hat auch ein blaues Auge.

○ Der Arzt gibt Ioanna Schmerztabletten.

○ Die beiden Mädchen sind lustig und singen „Unsere Augen sind so blau".

4 Wie finden Sie Laras Idee? Sprechen Sie.

> *Das finde ich ...*

A Ihr Auge tut weh.

A1 Ordnen Sie zu.

| • das Bein | • das Ohr | • der Arm | • der Finger | • der Kopf | • ~~die Nase~~ | • der Mund |

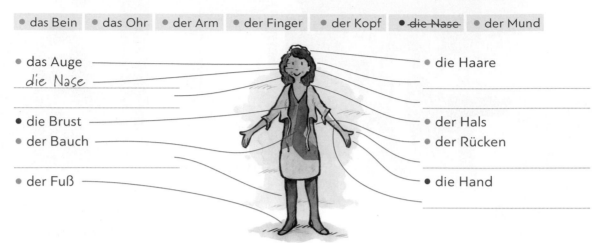

• das Auge ———
die Nase ———

• die Brust ———
• der Bauch ———

• der Fuß ———

• die Haare ———
———

• der Hals ———
• der Rücken ———

• die Hand ———

A2 Gute Besserung!
Was tut weh? Markieren Sie und ergänzen Sie die Tabelle.

A — Bert

Sein Kopf tut weh.
Und seine Ohren auch.

B — Rosie

Ihr Bein tut weh.

C — Hanna

Ihre Hand tut weh.

Possessivartikel

sein	Kopf	ihr	Kopf
sein	Bein	____	Bein
seine	Hand	____	Hand
____	Ohren	ihre	Ohren

Bert	seine	Ohren
Hanna	ihre	Hand

A3 Was tut den Personen weh? Ergänzen Sie.

A   B   C   D   E

sein Hals _____   _____   _____   _____

🔁 A4 Monsterspiel: Zeichnen Sie ein Monster und beschreiben Sie.
Ihre Partnerin / Ihr Partner zeichnet mit. Vergleichen Sie Ihre Zeichnungen.

Mein Monster heißt Irene. Ihr Kopf ist sehr schmal. Ihre Haare sind kurz, ihre Augen sind sehr groß. ...

Irene   Hans

Mein Monster heißt Hans. Seine Zähne ...

B1 E-Mail

a Lesen Sie die E-Mail von Ioanna. Was ist richtig? Kreuzen Sie an.

1 ☒ Sie will „danke" sagen.
2 ○ Carlos ist krank.
3 ○ Sie informiert Lara: Sie haben morgen keinen Unterricht.

> E-Mail senden
>
> Liebe Lara,
> das ist jetzt unser Lied: „Unsere Augen sind so blau"! Lara, Du bist
> toll! Vielen Dank für alles. Unser Abend war super.
> Du, Carlos hat geschrieben: Frau Weber, unsere Lehrerin, ist
> krank. Das heißt, unser Unterricht fällt morgen aus.
> Bis Donnerstag, Deine Ioanna

b Markieren Sie *unser/unsere* wie im Beispiel. Ergänzen Sie dann
die Tabelle rechts.

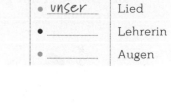

Possessivartikel		
wir	• _____	Abend
	• unser	Lied
	• _____	Lehrerin
	• _____	Augen

B2 Nachrichten

a Lesen Sie die Nachrichten.
Wer schreibt was? Ordnen Sie zu.

Nachricht	1	2	3
Person			

eine Kollegin (K)   eine Freundin (F)   die Ehefrau (E)

1
> E-Mail senden
>
> Oh, nein, nun sind Julia
> und Jan beide krank. Ihre
> Ohren tun sehr weh. Wir
> gehen jetzt zum Kinderarzt.
> Kannst Du einkaufen gehen,
> Schatz? Küsse von Marie

2
> E-Mail senden
>
> Und Eure Mutter? Ist sie
> wieder gesund? Hoffentlich!
> Könnt Ihr dann zu uns zum
> Essen kommen? Alle
> Freunde und Bekannten
> kommen! Ihr auch, ja? Anna

3
> E-Mail senden
>
> Wie war Euer Termin
> mit Frau Pfeiffer?
> Ich komme morgen
> wieder in die Arbeit.
> Bin wieder gesund.
> Heike

b Markieren Sie *euer/eure* und *ihre* in a und ergänzen Sie die Tabellen.

Possessivartikel		
ihr	• _____	Termin
	• euer	Lied
	• _____	Mutter
	• eure	Ohren

Possessivartikel		
sie	• ihr	Termin
	• ihr	Lied
	• ihre	Mutter
	• _____	Ohren

⇆ B3 Im Kurs: Nachrichten

Schreiben Sie Nachrichten an Ihre Partnerin / Ihren Partner.
Verwenden Sie *unser/unsere – euer/eure – ihr/ihre.*

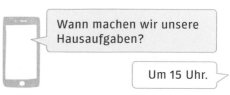

Wann machen wir unsere
Hausaufgaben?

Um 15 Uhr.

C Ich **soll** Schmerztabletten **nehmen**.

C1 Was sagt Ioanna? Schreiben Sie.

Nehmen Sie Schmerz-tabletten.

A

B

Der Doktor sagt, ich soll Schmerz-tabletten nehmen.

~~Schmerztabletten nehmen~~
das Auge kühlen
gleich ins Bett gehen
ein paar Schritte gehen
bei Problemen wieder ins Krankenhaus kommen

Ich soll Schmerztabletten nehmen.
Ich soll ...

Nehmen Sie Schmerztabletten.
Der Doktor sagt: Ich soll Schmerztabletten nehmen.

C2 Der Arzt hat gesagt, ...
Spielen Sie Gespräche mit *du* oder *Sie*.

◆ Der Arzt hat gesagt, Sie sollen die Medizin nehmen.
○ Was? Ich soll die Medizin nehmen?

viel trinken   Tabletten nehmen   im Bett bleiben
nicht trainieren   den Hals warmhalten

Modalverb *sollen*	
ich	soll
du	sollst
er/es/sie	soll
wir	sollen
ihr	sollt
sie/Sie	sollen

3 ◀)) 44–46 ## C3 Gesundheits-Hotline: Hören Sie die Gespräche.
a Wer hat welches Problem? Anrufer 1 (= 1), Anruferin 2 (= 2), oder Anrufer 3 (= 3)? Ordnen Sie zu.

○ Sonnenbrand   ① müde   ○ Tochter hat Husten

b Hören Sie noch einmal. Wer soll was machen? Ordnen Sie zu.

① viel spazieren gehen   ○ zum Arzt gehen   ○ Mira Saft geben   ○ Salbe verwenden

c Sprechen Sie.   *Anrufer 1 soll viel spazieren gehen.*

⇄ C4 Im Kurs: Geben Sie Gesundheitstipps.
Meine Freundin / Mein Bruder / Mein ...

Mein Freund hat Kopf-schmerzen. Was kann man da tun?

Oje! Er soll viel trinken. Das hilft sicher!

Bauchschmerzen
Fieber
Halsschmerzen
kann nicht schlafen
Kopfschmerzen
Schnupfen

viel trinken
spazieren gehen
abends nicht so viele Computerspiele machen
viel schlafen
am Abend keinen Kaffee trinken

D1 Wann haben Sie Stress? Was tut Ihnen da gut? Erzählen Sie.

> Ich habe oft viel Stress im Büro. Ich gehe dann abends im Wald spazieren.

D2 Lesen Sie die Anzeigen (1–4). Welche Anzeige passt? Ordnen Sie zu.
Für eine Person gibt es keine Anzeige.

a Herr Meier hat zu viel zu tun. Er isst oft bei der Arbeit am Computer.
   Sein Bauch ist zu dick.   Anzeige ④

b Annette Huber ist ledig und arbeitet viel. Sie möchte Leute kennenlernen
   und Sport machen. Sie möchte nichts bezahlen.   ◯

c Nina Schneider hat zwei Kinder und ist alleinerziehend. Sie arbeitet fünf Stunden
   in einem Büro und hat viel Stress. Die Oma kann in den Sommerferien zwei
   Wochen auf die Kinder aufpassen.   ◯

d Peter Hansen will Sport machen und joggen lernen. Er sucht ein Fitness-Studio. ◯

e Armin Schremser hat viel Arbeit und leider keine Zeit für Urlaub.
   Er möchte für ein Wochenende mit seinen Kollegen in die Natur fahren. ◯

1

Anti-Stress-Seminar

Ihre Familie, Ihre Kollegen, Ihr Chef –
alle wollen etwas? Sagen Sie auch einmal
„Nein"! Unsere Sommerkurse sind ideal
für Menschen mit Stress.

*2-Wochen-Kurse
von Juni bis Oktober
Anmeldungen per Telefon oder
online bis zum 20. Juni möglich.*

*Haus Buchenhain, Chiemsee
Kursleiter: Martin Hintermeier*

2

Zeit für Freunde!

Vergessen Sie den Alltags-
stress. Machen Sie sich
ruhige Tage im Grünen.
Spielen Sie mit unseren
Tierkindern. Oder beobach-
ten Sie Tiere im Wald.
Auf unserem Bauernhof
ist Platz für Sie und Ihre
Freunde.

Schreiben Sie uns!

*Ferienpension Dörrer
Bergholz 152
8096 Gars am Inn
E-Mail:
Ferienpension_Dörrer@gmx.de*

3

Lindenthaler Lauftreff

Unsere Gruppe ist für Menschen aus unserem
Stadtteil. Besonders für Menschen mit viel Stress
im Alltag. Wir treffen uns zweimal in der Woche
(Dienstag und Donnerstag um 18 Uhr)
und laufen oder machen sportliche
Spaziergänge und Nordic Walking.
Alles für Null Euro.

*Treffpunkt: Parkplatz am Stadionbad
Kontakt: tobias85@dmail.de*

4

Essen gegen Stress

5 doppelte Espresso am
Tag? Dazu Fast Food
mit viel Fleisch? Essen
und Trinken kann krank
machen. Besonders
Menschen mit Stress
sollen gesunde Sachen
essen. Viel Müsli, Obst
und wenig Fleisch.

*Volkshochschule
Wangen
Kurs FR3456
Mittwochs
17:00 Uhr
Kursbeginn: 3. Juli*

Wir zeigen Ihnen: So
geht das!

D3 Welche Anzeige aus D2 finden Sie interessant? Warum?

> Ich finde den Lauftreff interessant. Man trifft Menschen und kann zusammen Sport machen. Das ist gut gegen Stress.

D4 Lesen Sie die E-Mail und ordnen Sie zu.

- ( ) • der Betreff = Inhalt
- ( ) • der Ort
- ( ) • die Anrede
- (1) • der Absender
- ( ) • die Straße
- ( ) • das Datum
- ( ) • die Postleitzahl
- ( ) • der Empfänger
- ( ) • die Hausnummer
- ( ) • der Gruß

Von: Armin Schremser [mailto:schremser@kabelmail.de] 1
Gesendet: Dienstag, 23. Juni 21:49 2
An: Ferienpension_Doerrer@gmx.de 3
Betreff: Anfrage Zimmer 2.–5. Juli 4

Sehr geehrte Damen und Herren, 5

ich habe Ihre Anzeige gelesen und finde Ihr Angebot interessant. Ich möchte gern vom 2. bis 5. Juli mit vier Kollegen zu Ihnen kommen und habe folgende Fragen:

- Kann man mit dem Zug zu Ihnen kommen?
- Haben Sie fünf Einzelzimmer frei?
- Kann man bei Ihnen auch Halbpension oder Vollpension buchen?

Vielen Dank für Ihre Auskunft.

Mit freundlichen Grüßen 6

Armin Schremser

1

Armin Schremser
Firma Berger GmbH
7 Barbarossaplatz 4 8
9 50859 Köln 10

D5 Wählen Sie eine Situation und schreiben Sie eine Anfrage.

A
Sie möchten gern mit einer Gruppe Sport machen. Sie haben aber nicht viel Zeit und sind nicht so sportlich. Schreiben Sie eine Anfrage zu Anzeige 3 auf Seite 123:
– Wie viele Kilometer?
– Nur einmal pro Woche möglich?

B
Sie haben oft Stress im Büro und zu Hause und möchten für zwei Wochen ein Seminar machen. Sie haben noch Fragen. Schreiben Sie eine Anfrage zu Anzeige 1 auf Seite 123:
– Kosten?
– Einzelzimmer möglich?

SCHON FERTIG? Schreiben Sie selbst eine E-Mail an die Ferienpension Dörrer.

3 ◀)) 47–49 **E1 Hören Sie die Gespräche. Was ist richtig? Kreuzen Sie an.**

a Wo rufen die Personen an?	1	2	3	b Was möchten sie?	1	2	3
in einer Arztpraxis	○	○	○	einen Termin ändern	○	○	○
bei einer Physiotherapeutin	○	○	○	einen Termin vereinbaren	○	○	○
im Fitness-Studio	✕	○	○	einen Termin absagen	○	○	○

3 ◀)) 50 **E2 Ergänzen Sie das Gespräch. Hören Sie dann und vergleichen Sie.**

brauchen einen Termin   einen Termin frei

kann ich einfach vorbeikommen   haben Sie denn Zeit

Dann kommen Sie   ~~Was kann ich für Sie tun?~~

◆ Lindas Fitness-Club, Schäflein, guten Tag.
Was kann ich für Sie tun?

◆ Kein Problem. Wir machen aber immer
zuerst einen Fitness-Check.

◆ Nein, nein, Sie _____.
Wann _____?
Am Vormittag oder am Nachmittag?

◆ Na prima! _____
am Freitagvormittag um zehn Uhr, ja?

◆ Bis Freitag. Tschüs, Frau Kess.

○ Guten Morgen, hier spricht Kess. Ich
möchte gern bei Ihnen Sport machen.
Aber ich kenne Ihr Sportprogramm nicht.

○ Aha, sehr gut! Wie ist das: Braucht man
da einen Termin oder _____
_____?

○ Vormittag ist gut. Haben Sie am Freitag
_____?

○ In Ordnung. Tja, dann vielen Dank und
bis Freitag.

E3 Ordnen Sie zu.

~~Braucht man einen Termin oder kann man einfach vorbeikommen?~~   Könnte ich bitte einen Termin haben?
Ich kann jetzt doch nicht kommen.   Ich muss für morgen leider absagen.
Kann ich unseren Termin auf Mittwoch verschieben?   Kann ich früher kommen? Es ist dringend!
Ich kann heute leider nicht (kommen).   Haben Sie am Freitag einen Termin frei?

1 einen Termin vereinbaren	2 einen Termin ändern	3 einen Termin absagen
Braucht man einen Termin oder kann man einfach vorbeikommen?		

⇆ **E4 Rollenspiel: Spielen Sie**
▢ **Gespräche mit Ihrer Partnerin /**
Ihrem Partner.

A	B
Sie arbeiten in einer Zahnarzt-praxis. Der nächste freie Termin ist morgen Nachmittag.	Sie haben Zahnschmer-zen und brauchen dringend einen Termin.

Grammatik und Kommunikation

Grammatik

1 Possessivartikel ⟮ÜG⟯ 2.04

	Nominativ				Akkusativ
	Singular			Plural	Singular maskulin ⚠
ich	• mein Kopf	• mein Bein	• meine Nase	• meine Ohren	• mein**en** Kopf
du	dein	dein	dein**e**	dein**e**	dein**en**
er/es	sein	sein	sein**e**	sein**e**	sein**en**
sie	ihr	ihr	ihr**e**	ihr**e**	ihr**en**
wir	unser	unser	unser**e**	unser**e**	unser**en**
ihr	euer	euer	⚠ eure	⚠ eure	⚠ eur**en**
sie	ihr	ihr	ihr**e**	ihr**e**	ihr**en**
Sie	Ihr	Ihr	Ihr**e**	Ihr**e**	Ihr**en**

Bert ⟵ seine ⟶ Ohren

Rosie ⟶ ihre ⟵ Hand

⚠ eu╳re

2 Modalverb: *sollen* ⟮ÜG⟯ 5.12

	sollen
ich	soll
du	sollst
er/es/sie	soll
wir	sollen
ihr	sollt
sie/Sie	sollen

3 Modalverb im Satz ⟮ÜG⟯ 10.02

	Position 2		Ende
Sie	sollen	zu Hause	bleiben.

Was sollen Peter und Jana tun?
Ergänzen Sie.

Peter ist müde. Er _____ schnell
Kaffee _____
Jana ist auch müde. Sie _____
das Fenster _____.
Peter und Jana haben Hunger.
Sie _____.

Kommunikation

ÜBER DAS BEFINDEN SPRECHEN: Mein Auge tut weh!

Mein Auge / Meine ... tut/tun weh.

Es ist nicht schlimm.

Sie hat Schmerzen.

Frau Weber ist krank.

Mein Freund hat Kopfschmerzen.

Ich habe Fieber.

Meine Tochter hat Husten/Schnupfen.

Was sagt der Mann?
Schreiben Sie.

Mein ...
tut weh.
Ich habe ...

ANWEISUNGEN GEBEN: Gehen Sie zum Arzt.

Kühlen Sie das Auge.
Gehen Sie gleich ins Bett.

Der Doktor sagt, ich soll Schmerztabletten nehmen.
Er soll viel spazieren gehen.
Er soll viel trinken.
Das hilft sicher.

EINEN TERMIN VEREINBAREN: Könnte ich bitte einen Termin haben?

Könnte ich bitte einen Termin haben?   *Wann haben Sie denn Zeit?*

Braucht man einen Termin oder   *Sie brauchen einen Termin.*
kann man einfach vorbeikommen?

Haben Sie am Freitag einen   *Dann kommen Sie am Freitag-*
Termin frei?   *vormittag um zehn Uhr.*

EINEN TERMIN ÄNDERN: Kann ich früher kommen?

Kann ich unseren Termin auf Mittwoch verschieben?
Kann ich früher kommen? Es ist dringend.

EINEN TERMIN ABSAGEN: Ich kann heute leider nicht.

Ich kann jetzt doch nicht kommen.
Ich kann heute leider nicht (kommen).

STRATEGIEN: Hoffentlich!

Oh, nein. | Oje! | ..., ja? | Hoffentlich! | Tja, ...

Was sagt der Mann noch?
Schreiben Sie
fünf Sätze.

> *Der Doktor sagt, du sollst keinen Sport machen.*

Der Doktor sagt, du ...

Schreiben Sie ein Telefongespräch:
Vereinbaren Sie einen Arzttermin.

◊ *Hallo, mein Name ist ...*
  Könnte ich bitte ...

Sie möchten noch mehr üben?

3 | 51–53 🔊
AUDIO-
TRAINING

🎬
VIDEO-
TRAINING

Lernziele

Ich kann jetzt ...

A ... sagen: Wo tut etwas weh? *Mein Arm tut weh.* _____ ☺ ☹ ☹

B ... über die Gesundheit sprechen, Schmerzen beschreiben:
Seine Hand tut weh. _____ ☺ ☹ ☹

C ... Tipps und Ratschläge für die Gesundheit verstehen und geben:
Der Doktor sagt, ich soll Schmerztabletten nehmen. _____ ☺ ☹ ☹

D ... eine Anfrage schreiben:
Ich habe folgende Fragen: ... _____ ☺ ☹ ☹

E ... einen Termin vereinbaren, ändern und absagen:
Könnte ich bitte einen Termin haben? _____ ☺ ☹ ☹

Ich kenne jetzt ...

... 10 Körperteile:

der Kopf, ...

... 5 Krankheiten:

die Kopfschmerzen, ...

Hand in Hand

1 Wie heißen die Körperteile? Lesen Sie die Redewendungen und ergänzen Sie.

a Du suchst eine Wohnung? Ich halte die 👂👂 offen. _____

b Wir arbeiten 🖐 in 🖐 . _Hand in Hand_

c Er kann den 🔲 nicht voll bekommen. _____

d Können wir unter vier 👀 sprechen? _____

e Willst du mich etwa auf den 💪 nehmen? _____

2 Was bedeuten die Redewendungen? Ordnen Sie die Sätze den Redewendungen in 1 zu.

1 Kann ich allein mit dir reden?
2 Er will immer mehr (oft: Geld).
3 Wir arbeiten gut zusammen.
4 Das ist doch nicht wahr! Glaubst du, ich bin dumm?
5 Vielleicht höre ich ja etwas.

Redewendung	a	b	c	d	e
Satz		3			

Tipps für den Notfall

Lesen Sie die Situationen 1 und 2 und den Text. Was sollen Sie tun? Kreuzen Sie an.

1 Im Büro liegt jemand auf dem Boden. Sie sprechen ihn an. Er antwortet nicht.
○ 112 anrufen. ○ Selbst helfen.

2 Sie haben Besuch. Es ist 2 Uhr morgens. Ihr Besuch hat 40 Grad Fieber.
○ In eine Bereitschaftspraxis gehen und mit dem Arzt sprechen.
○ Einen ärztlichen Notdienst rufen oder in eine Notaufnahme gehen.

HILFE HOLEN –
Tipps für den Notfall

Es gibt einen Notfall, ein Mensch ist plötzlich sehr krank oder ein Unfall ist passiert. Jede Minute ist wichtig.

→ Mit der Notrufnummer 112 können Sie den Notarzt[1] rufen.

[1] auch: Rettungsdienst
[2] auch: ärztlicher Bereitschaftsdienst

Sie brauchen dringend einen Arzt, aber die normalen Arztpraxen haben geschlossen. Das können Sie jetzt tun:

→ Rufen Sie den ärztlichen Notdienst.[2] Dann kommt ein Arzt zu Ihnen oder Sie bekommen eine Adresse und können dort hingehen.

→ Gehen Sie zu einer Bereitschaftspraxis. Diese Praxen sind auch am Abend, am Wochenende und an Feiertagen geöffnet.

→ Gehen Sie in ein Krankenhaus. Die meisten Krankenhäuser haben eine Notaufnahme. Diese ist Tag und Nacht geöffnet.

Alfons, der Hypochonder

1 Sehen Sie die Fotos an und ergänzen Sie die Körperteile.

A

Das ist Alfons. Er hat ein Problem. Er ist Hypochonder. Jeden Tag hat er eine neue Krankheit.

B

Am Montag sagt er: Mein rechtes _Ohr_ ist so groß.

C

Am Dienstag sagt er: Meine _____ sind heute so gelb.

D

Am Mittwoch sagt er: Meine linke _____ ist dick.

E

Am Donnerstag sagt er: Meine _____ ist eiskalt.

F

Am Freitag sagt er: Meine _____ sind kurz.

G

Am Samstag geht Alfons in sein Lieblingsgeschäft.

H

Am Sonntag geht es Alfons richtig gut: einen Tag lang. Aber dann ...

I

... kommt schon wieder der Montag. Armer Alfons!

2 Sehen Sie den Film an und vergleichen Sie.

In der Stadt unterwegs

Folge 11: Alles im grünen Bereich

1 Was sehen Sie auf den Fotos? Markieren Sie.

- die (Auto-)Werkstatt   • das Auto   • der Autoschlüssel   • die Apotheke   • das Navi
- die S-Bahn   • die Autobahn   • die Tankstelle   • das Eis   • die Brücke   • die Ampel

2 Was passt? Ordnen Sie zu.

A   B   C

- ○ Fahren Sie nach rechts.
- ○ Fahren Sie geradeaus.
- ○ Fahren Sie nach links.

Tims Film

4 ◀)) 1 **3 Sehen Sie Foto 1 an und hören Sie. Ordnen Sie zu. Achtung: Nicht alles passt.**

> zwei   zwölf   Medikamente kaufen   eine Erkältung   kein Problem   ~~sein Auto zur Werkstatt bringen~~

a Was sollen Lara und Lili für Walter tun? Sie sollen _sein Auto zur Werkstatt bringen_ .
b Warum macht Walter das nicht selbst? Er hat _____ .
c Wann macht die Werkstatt zu? Um _____ .

4 ◀)) 1–8 **4 Sehen Sie die Fotos an und hören Sie.**

a Warum kommen Lara und Lili so spät an? Kreuzen Sie an.

○ Sie finden die Werkstatt nicht. Das Navi zeigt den falschen Weg.
○ Sie fahren auf die Autobahn. Lara möchte einmal richtig schnell fahren.

b Was bedeutet „Alles im grünen Bereich"? Kreuzen Sie an.

○ Alles ist okay.   ○ Nichts funktioniert.

A Fahren Sie dann **nach links**.

4 ◀)) 9 **A1 Wie soll Lara fahren?**
Hören Sie und kreuzen Sie an.

○ A   ○ B

4 ◀)) 10 **A2 Hören Sie und zeichnen Sie den Weg.**

Sie sind hier.

A3 Sehen Sie den Stadtplan in A2 an. Fragen Sie und antworten Sie.

Entschuldigung, ich suche den Bahnhof / das Museum / ...

Wo ist hier die Post / ein Hotel?

Ist hier ein Hotel in der Nähe?

Gehen Sie immer geradeaus.

Sie gehen zuerst geradeaus und dann die zweite Straße rechts / an der Ampel links.

Gehen Sie geradeaus und nach 300 Metern links.

Tut mir leid, ich bin auch fremd hier. / Ich bin nicht von hier.

Wo ist hier ein Hotel?

Gehen Sie ...

die erste Straße

die zweite Straße | links/rechts

die dritte Straße

🔁 **A4 Sie sind im Kurs. Erklären Sie Ihrer Partnerin / Ihrem Partner einen Weg.**
Sie/Er rät den Ort.

Du gehst rechts, dann geradeaus, dann die zweite Straße links. Dann bist du nach 100 Metern da.

Das ist die Post!

Ja, richtig.

4 ◀)) 11–15 **B1 Wir fahren mit dem Auto.**

a Womit fahren/fliegen die Personen? Hören Sie und kreuzen Sie an.

○ mit • dem Flugzeug   ○ mit • dem Zug   ✗ mit • dem Auto

○ mit • der Straßenbahn   ○ mit • der U-Bahn   ○ mit • der S-Bahn

○ mit • dem Taxi   ○ mit • dem Bus   ○ mit • dem Fahrrad

b Wohin möchten die Personen? Hören Sie noch einmal und ordnen Sie zu.

> • das Filmmuseum   • ~~die Werkstatt~~   • der Fußballplatz
> • die Schule   • der Karolinenplatz

1 Lara und Lili sollen zur _Werkstatt_ fahren.
2 Die Frau möchte zum _____.
3 Das Paar will zum _____, aber zu
  Fuß ist das zu weit.
4 Der junge Mann muss zum _____.
5 Die Frau sucht die _____.

Wie? (modale Präposition)	
• der Bus	→ mit dem Bus
• das Auto	→ mit dem Auto
• die U-Bahn	→ mit der U-Bahn
⚠ zu Fuß	

Wohin? (lokale Präposition)	
• der Fußballplatz	→ zum Fußballplatz
• das Museum	→ zum Museum
• die Werkstatt	→ zur Werkstatt

⇆ **B2 Sehen Sie den Netzplan an. Sie sind am
Hauptbahnhof. Fragen Sie und antworten Sie.**

zu + dem = zum
zu + der = zur

◆ Entschuldigung. Wie komme
ich zum Schwimmbad?
Kann ich zu Fuß
gehen?

○ Zu Fuß? Nein, das
ist viel zu weit.
Fahren Sie mit
dem Bus 31 bis
zur Station
„Schwimmbad".

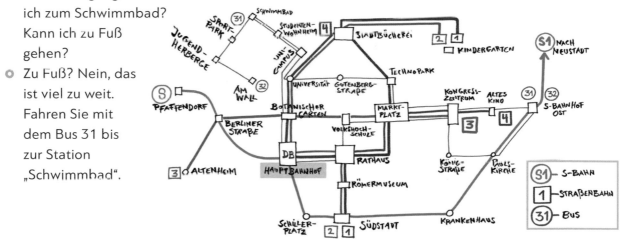

⇆ **B3 Meine Wege und Verkehrsmittel**
Zeichnen Sie Ihren persönlichen „Netzplan" und sprechen Sie dann mit Ihrer Partnerin / Ihrem Partner.

> *Ich fahre mit dem Auto zur Uni. Zum Fitness-
> studio fahre ich mit dem Bus. Zu Katja …*

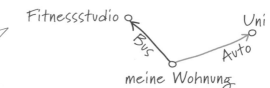

4 ◄)) 16 **C1 Hören Sie und verbinden Sie.**

a Wo darf man nur 50 fahren? ———————— Vor der Brücke links.

b Wo geht es zur Autobahn? ———— In der Stadt.

c Wo soll Lara bleiben? An der Ampel.

d Wo soll Lara nach links fahren? Auf der Autobahn.

C2 In der Stadt

a Sehen Sie das Bild an. Welche Wörter kennen Sie? Zeigen Sie und sammeln Sie im Kurs.

Also, das ist ein Lkw, glaube ich.

Und hier sieht man einen Kiosk.

b Was ist richtig? Kreuzen Sie an.

1 Zwei Lkws stehen ○ auf der Straße. ☒ auf dem Parkplatz.

2 Die Kinder warten ○ in der Schule. ○ an der Bushaltestelle.

3 Ein Mann kauft ○ am Kiosk ○ in der Buchhandlung eine Zeitung.

4 Ein Paar sitzt ○ hinter dem Café. ○ im Café.

5 Die Bücherei ist ○ über der Bäckerei. ○ unter der Bäckerei.

6 Ein Baum steht ○ hinter den Häusern. ○ zwischen der Post und der Bank.

c Ergänzen Sie die Tabelle.

	Dativ	
Wo?	● *dem* Parkplatz	an + dem = am
	● .... Café	in + dem = im
hinter/vor/neben/...	● .... Bäckerei	
	● .... Häusern	

lokale Präpositionen
Wo?

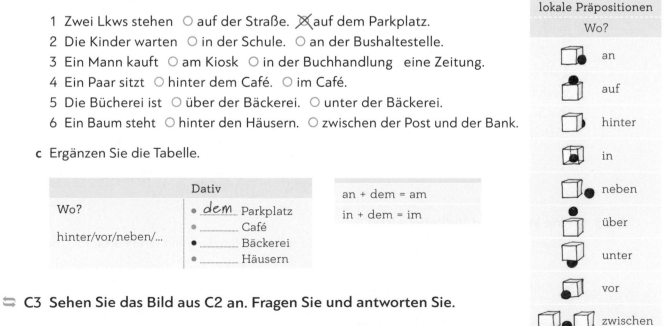

⇆ **C3 Sehen Sie das Bild aus C2 an. Fragen Sie und antworten Sie.**

◆ Wo ist der Parkplatz? ◦ Neben der Fußgängerzone.

D1 Wo ist ...?

a Wissen Sie es noch? Kreuzen Sie an.

Wo ist ...

1 Walter? ○ Beim Arzt. ○ Im Bett.
2 Sofia? ○ In der Apotheke. ○ In der Werkstatt.

Wo? ◉	lokale Präpositionen
Person:	• beim Arzt | • bei der Freundin | bei Walter
„Haus"/Ort/Geschäft:	• im Kindergarten | • im Bett | • in der Apotheke
Land/Stadt:	in Österreich/Wien | • im Jemen |
	• in der Schweiz | • in den USA/Niederlanden
	⚠ zu Hause

4 ◀)) 17 **b** Hören Sie und vergleichen Sie.

D2 Wo ist der Chef? Fragen Sie Ihre Partnerin / Ihren Partner.

bei dem = beim

◆ Ist der Chef nicht da?
○ Nein, tut mir leid.
  Er ist beim Zahnarzt.

Frankfurt	• der Konferenzraum

• die Werkstatt • die Apotheke • die Praxis • der Hausmeister
• die Schweiz • das Sekretariat • der Arzt ...

D3 Paulos Termine. Lesen Sie den Kalender und ergänzen Sie.

Am Montag fährt Paulo in die _____ .
Er muss für einen Tag nach Basel _____ .
Am Dienstag geht er ins _____ .
Am Mittwoch muss er zum _____ .
Am Donnerstag geht er ins _____ .
Am Freitag geht er zum _____ und kauft für das
Wochenende ein.
Am Samstag geht er zuerst zu _____ .
Dann fahren sie zusammen ins _____ und
sehen das Fußballspiel an.

Montag
Schweiz/Kundentermin
in Basel
Dienstag
Fitnessstudio

Mittwoch
Zahnarzt!

Donnerstag
Konzert

Freitag
Supermarkt

Samstag
Martin abholen,
Fußballstadion
Sonntag

Wohin? →	lokale Präpositionen
Person:	• zum Zahnarzt | • zur Freundin | zu Walter
Geschäft:	• zum Supermarkt | • zur Apotheke
„Haus"/Ort:	• in den Kindergarten | • ins Kino
Land/Stadt:	nach Österreich/Basel | • in den Jemen |
	• in die Schweiz | • in die USA/Niederlande
	⚠ nach Hause

D4 Wo waren Sie diese Woche? Wohin gehen/fahren Sie noch?

Notieren Sie und sprechen Sie dann mit Ihrer Partnerin / Ihrem Partner.

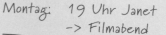
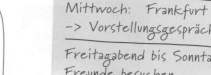

> *Also, am Montag war ich bei Janet. Wir haben einen Filmabend gemacht. Morgen fahre ich nach Frankfurt. Ich habe dort ein Vorstellungs-gespräch. Und am Wochenende fahre ich zu Freunden. Sie wohnen in Aschaffenburg.*

Montag: 19 Uhr Janet
-> Filmabend

Mittwoch: Frankfurt
-> Vorstellungsgespräch

Freitagabend bis Sonntag:
Freunde besuchen

D5 Neu in der Stadt

a Was möchten Sie machen? Notieren Sie.

kopieren
Brötchen kaufen
eine DVD ausleihen
...

da vorne   da hinten

da drüben   da an der Ecke

b Spielen Sie kleine Gespräche.

◆ Wo kann ich kopieren?
○ Da musst du zum Copyshop gehen.
◆ Ist das weit?
○ Nein. Der Copyshop ist gleich da vorne. Neben der Buchhandlung an der Ecke.

Wo gibt es hier einen/ein/eine ...?	*Im / In der ...*
Wo kann ich hier ... kaufen/ bekommen/...?	*Da gehen Sie zu/zum/zur ... Er/Es/Sie ist gleich hier in der Nähe. / gar nicht weit weg. / da an der Ecke. / gleich da vorne/hinten/drüben.*
Gibt es hier / in der Nähe ...?	
Und wo finde ich ...?	
Kann ich zu Fuß gehen?	*Ja, es ist nicht weit. / Nein, Sie müssen mit der U-Bahn / mit dem Bus / ... fahren.*

D6 Ein Tag im Leben von ...

Wählen Sie eine Person. Was macht die Person? Wo ist sie wann? Wohin geht/fährt sie?
Schreiben Sie. Lesen Sie dann Ihren Text im Kurs vor. Die anderen raten: Wer ist das?

● der Reiseführer   ● der Krankenhausclown   ● die Tänzerin   ● der Koch

Meine Person ist viel unterwegs. Sie fährt mit dem Auto nach Wien zur Touristeninformation. Dort holt sie Touristengruppen ab. Sie geht ...

> **SCHON FERTIG?** Morgen haben Sie frei. Wohin gehen/fahren Sie? Was machen Sie dort? Schreiben Sie.

4 ◀)) 18–22 **E1 Hören Sie die Durchsagen und ordnen Sie zu.**

Durchsage

a Der Zug fährt von Gleis 8 ab. ③

b Die Fahrgäste sollen einsteigen. ◯

c Der Zug hat Verspätung.
Er kommt 10 Minuten später an. ◯

d Die Fahrgäste können in einen
Zug nach Berlin umsteigen. ◯

e Die Fahrgäste sollen aussteigen. ◯

aussteigen

umsteigen

einsteigen

abfahren
• die Abfahrt

ankommen
• die Ankunft

4 ◀)) 23 **E2 Am Schalter**

a Was ist richtig? Hören Sie und kreuzen Sie an.

1 Die Frau möchte ◯ heute ◯ morgen
nach Bad Cannstatt fahren.

2 Sie ◯ kann direkt fahren. ◯ muss umsteigen.

3 Sie kauft die Fahrkarte
◯ am Fahrkartenautomaten. ◯ am Schalter.

b Was hören Sie im Gespräch? Hören Sie noch einmal und markieren Sie.

F Ich brauche eine Auskunft. Wann fährt der nächste Zug nach Bad Cannstatt?

◯ Um 9 Uhr 50. ◯ Muss ich umsteigen? ◯ Wann kommt der Zug in Bad Cannstatt an?

◯ Ja. In Stuttgart. ◯ Gleich am Bahnsteig gegenüber. ◯ Bitte achten Sie auf die Durchsagen.

◯ Bekomme ich die Fahrkarte bei Ihnen oder am Fahrkartenautomaten?

◯ Am Automaten und hier am Schalter. ◯ Sie haben Anschluss nach Stuttgart.

◯ Einfach oder hin und zurück? ◯ Gut, dann bitte eine Fahrkarte einfach.

◯ 63 Euro, bitte. Und hier Ihre Fahrkarte. ◯ Von welchem Gleis fährt der Zug ab? ◯ Von Gleis 9.

c Wer sagt was? Ordnen Sie in b zu (F = Fahrgast, M = Mitarbeiter).

⇆ **E3 Spielen Sie ein Gespräch. Tauschen Sie auch die Rollen.**

Fahrgast
Sie wohnen in Leipzig und
möchten am Freitag nach
Wien fahren.

Mitarbeiterin/Mitarbeiter
Geben Sie Auskunft.

Ihr Fahrplan					
Bahnhof/Haltestelle	*Datum*	*Zeit*	*Gleis*	*Produkte*	*Normalpreis*
Leipzig Hbf	Fr, 21.03.	ab 14:02	10	ICE 209	152,00 EUR
Nürnberg Hbf	Fr, 21.03.	an 17:24	9		→ zur Buchung
Nürnberg Hbf	Fr, 21.03.	ab 18:30	12	ICE 229	
Wien Westbahnhof	Fr, 21.03.	an 23:08	2		

[**SCHON FERTIG?** Wohin möchten Sie gern mit dem
Zug fahren? Spielen Sie weitere Gespräche.

Grammatik und Kommunikation

Grammatik

1 Modale Präposition: *mit* + Dativ ÜG 6.04

	• der → dem	• das → dem	• die → der	Plural • die → den
mit	• dem Zug	• dem Auto	• der U-Bahn	• den Kindern

Schreiben Sie Sätze.

Meine Verkehrsmittel
Ich fahre oft mit ...
Ich fahre manchmal mit ...

2 Lokale Präpositionen auf die Frage „Wo?" + Dativ ÜG 6.02, 6.03

				Plural
neben	• dem Kiosk	• dem Hotel	• der Post	• den Häusern

auch so: an, auf, bei, hinter, in, über, unter, zwischen, vor

Wo ist Sofia? ◎

Person:	• beim Arzt | • bei der Freundin | bei Walter
„Haus"/Ort/Geschäft:	• im Kindergarten | • im Bett | • in der Apotheke
Land/Stadt:	in Österreich/Wien | • im Jemen | • in der Schweiz | • in den USA/Niederlanden
	⚠ an + dem = am bei + dem = beim in + dem = im
	⚠ zu Hause

Wo sind die Mäuse?
Schreiben Sie.

Eine Maus ist ...

3 Lokale Präpositionen auf die Frage „Wohin?" ÜG 6.02, 6.03

Wohin ist Paulo gefahren? →

Person:	• zum Zahnarzt | • zur Freundin | zu Walter
Geschäft:	• zum Supermarkt | • zur Apotheke
„Haus"/Ort:	• in den Kindergarten | • ins Kino
	⚠ zu + dem = zum zu + der = zur
Land/Stadt:	nach Österreich/Basel • in den Jemen | • in die Schweiz | • in die USA/Niederlande
	⚠ nach Hause

Ihre Orte, Geschäfte, Personen:
Wohin fahren/gehen Sie oft?
Notieren Sie.

ins Büro
...

Kommunikation

ORIENTIERUNG: Wo ist hier die Post?

Entschuldigung, ich suche den Bahnhof / das Museum / ...

Gehen Sie immer geradeaus.
Sie gehen zuerst geradeaus und dann die zweite Straße rechts / an der Ampel links.

Wo ist hier die Post/
ein Hotel/...?

Gehen Sie geradeaus und nach
300 Metern links.

Fahren Sie nach rechts/
nach links/geradeaus.

Dann sind Sie nach 100 Metern da.

Ist hier ein Hotel in der Nähe?

Tut mir leid, ich bin auch fremd
hier./Ich bin nicht von hier.

Wo gibt es hier einen/ein/eine ...?

Im/In der ...

Wo kann ich hier ...
kaufen/bekommen/...?

Da gehen Sie zu/zum/zur ...
Er/Es/Sie ist gleich hier in der
Nähe./gar nicht weit weg./da
an der Ecke./gleich da vorne/
hinten/drüben.

Gibt es hier/in der Nähe ...?
Und wo finde ich ...?
Kann ich zu Fuß gehen?

Ja, es ist nicht weit./Nein, Sie
müssen mit der U-Bahn/mit dem
Bus/... fahren.

AM SCHALTER: Ich brauche eine Auskunft.

Ich brauche eine Auskunft:
Wann fährt der nächste
Zug nach ...?
Wann kommt der Zug in ... an?

Um ... Uhr./Um ...

Von welchem Gleis fährt der
Zug ab?

Von Gleis ...

Muss ich umsteigen?

Ja. In ...
Sie haben Anschluss nach .../Nein.

Bekomme ich die Fahrkarte
bei Ihnen oder am Fahrkartenautomaten?

Am Automaten und hier am
Schalter.
Einfach oder hin und zurück?

Bitte eine Fahrkarte einfach./
hin und zurück.

Eine Freundin/Ein Freund ist am
Bahnhof. Beschreiben Sie den
Weg zu Ihrer Wohnung.

> Hallo ..., ich bin jetzt am Bahn-
> hof. Wie komme ich zu Dir?
> Kann ich zu Fuß gehen?

Nein, du fährst ...

Schreiben Sie ein Gespräch.

Bahnhof/Haltestelle	Datum	Zeit	Gleis
Ulm Hbf	24.5.	ab 12:51	1
Mannheim Hbf	24.5.	ab 14:28	9
Mannheim Hbf	24.5.	ab 14:39	8
Köln Hbf	24.5.	ab 17:05	3

◇ Wann kommt der
Zug in Köln an?
● Um 17 Uhr 05.

Sie möchten noch mehr üben?

4 | 24–26
AUDIO-
TRAINING

VIDEO-
TRAINING

Lernziele

Ich kann jetzt ...

A ... nach dem Weg fragen, Wegbeschreibungen verstehen:
   Entschuldigung, ich suche den Bahnhof. _____ ☺ ☺ ☹

B ... sagen: Welche Verkehrsmittel benutze ich?
   Wir fahren mit dem Auto. _____ ☺ ☺ ☹

C ... Ortsangaben verstehen und selbst formulieren:
   Vor der Brücke links. _____ ☺ ☺ ☹

D ... Orte und Richtungen angeben: *Wir gehen zu Walter.* _____ ☺ ☺ ☹

E ... Fahrpläne und Durchsagen verstehen:
   Der Intercity 79697 fährt heute von Gleis 8 ab. _____ ☺ ☺ ☹

   ... am Bahnhof Fahrkarten kaufen: *Wann fährt der Zug nach ...?* _____ ☺ ☺ ☹

Ich kenne jetzt ...

10 Orte in der Stadt:

der Bahnhof, ...

_____

_____

5 Verkehrsmittel:

der Zug, ...

_____

Mein Tag

1 Sehen Sie das Bild an und lesen Sie den Text „Mein Tag". Wer erzählt?

MEIN TAG

DO 23

Ich habe um sieben Uhr gefrühstückt. Dann bin ich mit der U-Bahn zum Pariser Platz gefahren. Dort habe ich bis 12 Uhr im Büro gearbeitet.

Dann bin ich mit dem Taxi zum Hauptbahnhof gefahren. Da habe ich einen Geschäftspartner aus Österreich getroffen. Wir sind in ein Restaurant gegangen.

Um 17 Uhr 30 habe ich den Geschäftspartner wieder zum Zug gebracht und dann bin ich nach Hause gefahren.

20:25 Uhr

2 Wählen Sie nun eine Person aus und schreiben Sie einen Text „Mein Tag".
Lesen Sie dann Ihren Text im Kurs vor. Die anderen raten: Wer ist das?

Verkehr und Verkehrsmittel

Sehen Sie den Film zum Thema „Verkehr und
Verkehrsmittel" an. Welche Verkehrsmittel sehen Sie?
Sammeln Sie im Kurs.

Autos, ...

4 ◀)) 27

Entschuldigen Sie ...?

Entschuldigen Sie? ... Darf ich Sie was fragen?
Ich bin fremd in dieser Stadt. Bitte können Sie mir sagen:
Wie komm' ich denn von hier zur Universität?
Ich hab' einen Termin dort und ich bin schon viel zu spät.
Fahr' ich mit der U-Bahn, mit der S-Bahn, mit dem Bus?
Oder ist es nicht so weit? Dann gehe ich zu Fuß.

Sie geh'n da vorne links an diesem Kiosk vorbei.
Und dann geh'n Sie immer weiter bis zu einer Bäckerei.
Neben dem Geschäft muss auch 'ne Buchhandlung sein.
Und hinter der geht rechts ein kleiner Weg hinein.
Aber Achtung! Dieser Weg ist wirklich ziemlich schmal
und ich glaub', es ist am besten, Sie fragen dort noch mal.

Entschuldigen Sie? ... Darf ich Sie was fragen?
Ich bin fremd in dieser Stadt. Bitte können Sie mir sagen:
Wie komm ich denn von hier zur Universität?
Ich hab' einen Termin dort und ich bin schon viel zu spät.
Fahr' ich mit der U-Bahn, mit der S-Bahn, mit dem Bus?
Oder ist es nicht so weit? Dann gehe ich zu Fuß.

Zur Universität? ... Aha, aha, aha,
... zur Universität, seh'n Sie mal, da geh'n Sie da
hinter diesem Parkplatz rechts die Treppe hinauf
und oben bei der Apotheke dann geradeaus.
Und dann geh'n Sie immer weiter, bis es nicht mehr weitergeht.
Dann sind Sie in der Nähe von der Universität.

Refrain:

Da hinten? Da vorne?
    ... Danke, danke!
Links und rechts und
    ... Danke, danke!
Da oben? Da unten?
    ... Danke, danke!
Geradeaus?
    ... Das ist wirklich sehr nett!

1 Hören Sie das Lied und lesen Sie dazu
den Liedtext. Sehen Sie das Bild an.
Wo ist was? Ordnen Sie zu.

◯ Buchhandlung   ① Kiosk   ◯ Bäckerei
◯ Parkplatz   ◯ Universität   ◯ Apotheke

2 Hören Sie noch einmal und singen Sie
den Refrain mit.

Kundenservice

Folge 12: Super Service!

1 Sehen Sie die Fotos an. Wo sehen Sie was? Ergänzen Sie.

a eine Tasche: _Foto 1 bis 7_   d einen Verkäufer: ....

b eine Plastiktüte: ....   e etwas ist kaputt: ....

c eine Rechnung: ....

2 Sehen Sie die Fotos an und hören Sie. Was ist richtig?

4 ◀)) 28–35

Kreuzen Sie an.

a ○ Laras Tasche war teuer.

b ○ Die Tasche ist neu, aber schon kaputt.

c ○ Der Verkäufer repariert die Tasche heute.

d ○ Lara bekommt ihre Tasche am Dienstag.

e ○ Lara findet den Service gut.

Laras Film

4 ◀)) 28–35 **3 Ordnen Sie zu. Hören Sie noch einmal und vergleichen Sie.**

Dienstag   kaputt   Laden   ~~Tasche~~   Plastiktüte   reparieren   soll

Lara hat eine _Tasche_ gekauft. Sie ist schon _____. Lara geht in
den _____ Der Verkäufer soll die Tasche _____. Er sagt,
Lara _____ die Tasche reparieren. Aber das macht Lara nicht. Lara
bekommt die Tasche am _____ zurück. Am Ende gibt der Verkäufer
Lara eine _____.

4 Sprechen Sie.

Lara ist sauer.
Verstehen Sie, warum?

*Ja, ich verstehe das.
Der Verkäufer ist …*

• der Service • der Verkäufer unfreundlich   normal   schlecht   nicht so gut   …

A Gleich **nach dem Kurs** gehe ich hin.

A1 Ordnen Sie zu.

	A	B	C

	Das ist Lara .... dem Kurs.	Das ist Lara .... dem Kurs.	Das ist Lara .... den Hausaufgaben.

temporale Präpositionen + Dativ	
Wann?	
vor nach bei	• dem Kurs
	• dem Training
	• der Arbeit
	• den Haus- aufgaben
⚠	• beim Sport /
	• beim Training

vor	• einem Tag
nach	• einer Woche

4 🔊 36 A2 Ergänzen Sie *bei*, *nach* und *vor*.
Hören Sie dann und vergleichen Sie.

◆ Ich will Sie nicht *bei der* Arbeit
stören. Aber: Könnten Sie mir bitte helfen?

○ Was kann ich denn für Sie tun?

◆ Die Tasche habe ich .... Woche hier bei
Ihrem Kollegen gekauft. Sie ist leider schon kaputt.
Schon .... Woche.

A3 Ein Tag in Jana Müllers Laden

4 🔊 37 **a** Was passiert wann im Laden? Hören Sie und verbinden Sie.

Wann?
1 vor der Mittagspause
2 vor dem Frühstück
3 beim Mittagessen
4 nach der Mittagspause

Was?
Taschen und Kleider sortieren
ein bisschen lesen
viele Taschen und Kleider verkaufen
Reparaturen machen und nähen

b Sprechen Sie.

> *Vor der Mittagspause macht
> Frau Müller Reparaturen und ...*

🔁 A4 Ihr Tag
Schreiben Sie fünf Sätze über Ihren Tag mit
vor, *bei* und *nach*. Eine Aussage stimmt nicht.
Ihre Partnerin / Ihr Partner rät.

> 1 Vor dem Frühstück
> dusche ich.
> 2 Beim Training ...

4 ◀) 38 **B1 Verbinden Sie. Hören Sie dann und vergleichen Sie.**

a ◆ Wie lange brauchen Sie für
   die Reparatur?

b ◆ Wie lange dauert es denn?

c ○ Ab wann brauchen Sie die
   Tasche denn wieder?

◆ Bis morgen?
◆ Ab Montag.
○ Sie bekommen die
   Tasche in etwa vier bis
   sechs Wochen zurück.

temporale Präposition + Dativ		
Wann? in	• einem	Monat
	• einem	Jahr
	• einer	Woche
	• drei	Jahren

(Ab) wann?	ab •⟶	3 Uhr; Dienstag
Wie lange?	bis ⟶•	5 Uhr; morgen, nächste Woche

4 ◀) 39 **B2 Ergänzen Sie *ab*, *bis*, *in*. Hören Sie dann und vergleichen Sie.**

◆ Unsere Kamera funktioniert nicht. Können
   Sie bitte mal nachsehen? Was ist da kaputt?

○ Oh, das muss der Chef machen. Er ist
   aber _bis_ 14 Uhr in der Mittagspause.
   Wollen Sie warten?

◆ Nein, dann kommen wir _____ einer
   Stunde wieder. •

▲ Ich glaube, mein Fernseher ist kaputt.
   Kann bitte jemand nachsehen?

▢ Natürlich. Aber im Moment geht es leider
   nicht. Können Sie bitte _____ heute
   Abend warten? _____ 19 Uhr kommt
   der Techniker.

▲ Kein Problem.

⇆ **B3 Rollenspiel: Ihr Tablet ist kaputt. Rufen Sie beim Kundenservice an.**

📱 Sie haben ein Tablet Modell C 3.0 gekauft. Es funktioniert nicht. Sie haben noch 6 Monate Garantie.

○ Techno Markt, guten Tag. Meier.
   Was kann ich für Sie tun?

◆ Aha. Was für ein Modell ist es?

◆ Gut, dann bringen Sie das
   Gerät bitte vorbei.

◆ Kommen Sie ... Dann ist das
   Gerät fertig.

○ Guten Tag. Mein Name ist ...
   Mein Tablet funktioniert nicht.

○ Ein ... Ich habe noch ...
   Monate Garantie.

○ Bis wann können Sie das Gerät reparieren?

○ Danke.

C Könnten Sie mir das bitte zeigen?

4 ◀)) 40 **C1 Hören Sie und kreuzen Sie an. Welcher Satz ist freundlich ☺, welcher nicht ☹?**

a ☒ ☺   ○ ☹   Könnten Sie mir das bitte zeigen?
b ○ ☺   ○ ☹   Helfen Sie mir!
c ○ ☺   ○ ☹   Geben Sie mir einfach eine neue Tasche!
d ○ ☺   ○ ☹   Würden Sie mir dann bitte mein Geld
zurückgeben?

> ☹ Helfen Sie mir!
> ☺ Könnten Sie mir bitte helfen?
> Würden Sie mir bitte helfen?

> Könnten Sie mir bitte helfen?

C2 Was sagt die Chefin? Was antwortet die Assistentin?
Spielen Sie Gespräche.

bitte heute noch die Rechnung hier bezahlen

bitte den Computer anmachen

die E-Mail an die Firma Fischer bitte heute noch schreiben

bitte gleich bei „Söhnke & Co" anrufen

bitte gleich Kaffee machen

die Tür kurz mal zumachen

das Fenster bitte einen Moment aufmachen

bitte Papier für den Drucker kaufen   bitte das Licht ⌖ ausmachen

◆ Könnten Sie / Würden Sie bitte heute noch die Rechnung hier bezahlen?
○ Natürlich. / Ja, gern. / Nein, das geht leider gerade nicht. Ich muss erst ...

aufmachen
zumachen
anmachen
ausmachen

⇄ **C3 Höfliche Bitten**
Was sagen die Leute? Schreiben Sie zu jeder Situation zwei Sätze.

die Tür aufmachen   die Klimaanlage reparieren
~~Hustensaft oder Tabletten empfehlen~~   einen Tisch im Restaurant reservieren   ...

A
Sie sind in der Apotheke.

A Würden Sie mir
Hustensaft oder Tabletten
empfehlen? ...

B
Sie sind im Hotel
an der Rezeption.

C
Sie stehen vor Ihrem
Hotelzimmer. Sie haben
keinen Schlüssel.

D
Sie sind im Restaurant.
Die Klimaanlage
funktioniert nicht.

D1 Heike Wegner arbeitet an der Rezeption im Hotel *Zur Post*.

a Sehen Sie das Foto an. Was ist mit Frau Wegner los?

b Lesen Sie die Nachrichten. Was soll Frau Wegner machen? Markieren Sie.

A [E-Mail senden]

> **Zimmer für Dr. Fischer**
>
> Sehr geehrte Frau Wegner,
> bitte reservieren Sie ab Donnerstag,
> 14.07. ein Zimmer für drei Nächte für Frau
> Doktor Erika Fischer. Bitte ein Nicht-
> raucherzimmer in besonders ruhiger Lage.
>
> Mit freundlichen Grüßen
> Martina Nutall
>
> Assistentin
> Institut für Analytische Chemie
> Universität Leipzig

B [E-Mail senden]

> **Ankunft Reisegruppe FUN-TOURS**
>
> Liebe Frau Wegner,
> unser Flug aus Köln hat leider Verspätung.
> Unsere Gruppe kommt erst um circa 22 Uhr
> an. Wir haben mit Abendessen gebucht.
> Bitte servieren Sie für 12 Personen etwas
> Kaltes. Wäre das möglich?
>
> Vielen Dank und beste Grüße
> Gisela Lorenz
>
> FUN-TOURS
> Tour-Begleiterin
> –––––– von meinem X-Phone gesendet ––––––

C

> Hallo Heike, Herr Junghans (Zimmer 102) findet seine
> Kreditkarte nicht mehr. Sag bitte den Zimmermädchen
> Bescheid. Sie sollen noch mal gründlich suchen. Vielleicht
> finden sie die Karte. Wenn nicht, bezahlt Herr Junghans
> seine Rechnung per Banküberweisung. Gruß Axel

4 ◀)) 41–43 D2 Frau Wegner spricht auf die Mailbox und macht Fehler.

Hören Sie die drei Nachrichten und notieren Sie. Sprechen Sie dann.

Nachricht	Frau Wegner sagt:	richtig ist:
1	Dienstag	Donnerstag
2		
3		

> *Frau Wegner reserviert
> ein Zimmer ab Dienstag.
> Sie soll das Zimmer aber
> ab Donnerstag reservieren.*

D3 Sprechen Sie auf die Mailbox.

> Sie möchten für morgen Abend um 20 Uhr
> einen Tisch für sechs Personen reservieren.
> Rufen Sie im Restaurant *Zur Post* an.

> Sie haben ein Fahrrad gemietet. Jetzt ist es
> kaputt. Es steht am Bahnhofsplatz. Rufen Sie
> bei der Vermietungsfirma an.

> *Hier spricht/ist …
> Bitte rufen Sie zurück unter …
> Bitte rufen Sie uns/mich an.
> Meine Nummer ist …
> Vielen Dank und auf Wiederhören!*

SCHON FERTIG? Sprechen
Sie Ihrer Partnerin / Ihrem
Partner auf die Mailbox.

E Hilfe im Alltag

E1 Lesen Sie. Welcher Service passt? Ordnen Sie zu.

Anzeige

a Herr Berger fliegt oft ins Ausland. Er fährt mit dem Auto zum Flughafen und möchte Geld sparen. ○

b Herr und Frau Baumann sind oft unterwegs. Sie können ihre Wohnung nicht sauber machen. ①

c Die Espressomaschine von Lena und Bert funktioniert nicht mehr. ○

d Eine schwedische Freundin braucht für die Universität Zeugnisse und Dokumente auf Deutsch. ○

e Die Freunde Henry, Flo und Paul bekommen um 22 Uhr Hunger und haben nichts im Kühlschrank. ○

Mr Cleaner Reinigung

Wir reinigen zu Ihrem Wunschtermin. Wählen Sie aus unserem großen Service-Angebot, z. B. Fensterreinigung zu Hause oder im Büro. Wir putzen alles aus Glas, auch Dachfenster und Wintergärten. Wir bringen das Reinigungsmaterial mit. Sie müssen nichts tun.

Jetzt gleich anrufen:
04 77 – 9 95 18

1

Übersetzungsbüro Birgit Esser

Seit 1984 sind wir für unsere Kunden da und geben unser Bestes. Wir haben auf der ganzen Welt Mitarbeiter. Unser Büro bietet Übersetzungen in vielen Sprachen an:

– west- und osteuropäische Sprachen
– skandinavische und südeuropäische Sprachen
– asiatische und arabische Sprachen

zum Kontaktformular

2

Pizza-auf-Rädern.de

Jetzt online bestellen!

Mo–Sa 10.30 bis 14.00 / 16.30 bis 22.45 Uhr
Sonntag und Feiertag: 11.00 bis 22.30 Uhr
Dienstag Ruhetag

Unsere Angebote
Mittagsangebote Mo–Fr von 10.30 bis 14.00 Uhr
– jede normale Pizza (28 cm) nur 5,00 Euro
– jede große Pizza (32 cm) nur 6,00 Euro
– jedes Nudelgericht nur 5,00 Euro
Donnerstag = Maxi-Pizza-Tag

3

Günstig parken am Flughafen Düsseldorf

Unser Parkservice bietet Ihnen besonders günstige Parkplätze ganz in der Nähe vom Flughafen. Und das an 365 Tagen im Jahr. Beginnen Sie Ihren Urlaub bei uns und buchen Sie gleich Ihren Parkplatz. Genießen Sie unseren stressfreien Transfer zu Ihrem Terminal.
Kontakt:
parkservice-duesseldorf@de-mail.com

4

Reparieren lohnt sich!

REPARATURSERVICE
Ihr Toaster ist kaputt?
Wir **reinigen** und **reparieren** Ihr Elektro-gerät mit Freude.
Ersatzteile haben wir auf Lager.
Telefonische Beratung:
24 Stunden! 030-888 9 111

5

4 ◀)) 44 **E2 Anruf beim Reparaturservice. Wer sagt das? Kreuzen Sie an.**

Hören Sie dann und vergleichen Sie.

	Kunde	Service-Mitarbeiterin
a Was kann ich für Sie tun?	○	⊠
b Könnte ich bitte den Reparaturservice sprechen?	○	○
c Ja, hier sind Sie richtig.	○	○
d Würden Sie mir das bitte erklären?	○	○
e Nichts zu danken.	○	○
f Wenn Sie noch Fragen haben, rufen Sie einfach noch mal an.	○	○

E3 Unser Kurs, unser Service!

a Welchen Service können Sie anbieten? Notieren Sie im Kurs.

- Kaffeeservice
- Hausaufgaben-Service
- Sportgruppe
- Snacks in der Mittagspause
...

b Wählen Sie ein Thema und bilden Sie Gruppen. Sprechen Sie.

> Ich bin in der Sportgruppe. Ich finde, Sport machen und Deutsch lernen passt gut zusammen!

> Ja, das ist super. Und wann ... ?

c Machen Sie ein Plakat und zeigen Sie es im Kurs.

Wer? Jo, Julie, Leo, Maxim

Was? Sportgruppe

Warum? Sport und Spaß sind wichtig. Wir spielen Fußball und sprechen nur Deutsch.

Wann? jeden Montag nach dem Deutschkurs

Wo? im Park an der Schillerstraße

Was braucht Ihr?
Bringt Eure Sportschuhe und GUTE LAUNE mit. Einen Ball haben wir.

d Welchen Service finden Sie originell? Sprechen Sie im Kurs.

Grammatik und Kommunikation

Grammatik

1 Temporale Präpositionen: *vor, nach, bei, in* + Dativ Ⓤ 6.01

Wann?				Plural
vor	• dem Kurs	• dem Training	• der Arbeit	• den Hausaufgaben
nach	• dem Kurs	• dem Training	• der Arbeit	• den Hausaufgaben
bei	⚠ • beim Kurs	⚠ • beim Training	• der Arbeit	• den Hausaufgaben
in	• einem Monat	• einem Jahr	• einer Woche	• drei Jahren

Ihr Montag: Ergänzen Sie Ihre Termine und schreiben Sie Sätze mit *vor, bei* und *nach*.

Montag
09.00	
10.00	
11.30	Zahnarzt
12.00	Mittagessen

Vor dem Mittagessen gehe ich zum Zahnarzt.

2 Temporale Präpositionen: *bis, ab* Ⓤ 6.01

Wie lange ...? Bis morgen / Montag / siebzehn Uhr / nächste Woche.

Ab wann ...? Ab morgen / Montag / siebzehn Uhr.

3 Höfliche Aufforderung: Konjunktiv II Ⓤ 5.17

	Position 2		Ende
Könnten	Sie	mir bitte	helfen?
Würden	Sie	mir bitte das Geld	zurückgeben?
Könntest	du	mir bitte	helfen?
Würdest	du	mir bitte das Geld	zurückgeben?

Könnten Sie mir bitte helfen?

Ja, gern.

Kommunikation

REPARATURSERVICE: Was kann ich für Sie tun?

Was kann ich für Sie tun?

Ja, hier sind Sie richtig.

Was für ein Modell ist es? Bringen Sie das Gerät bitte vorbei.

Kann bitte jemand nachsehen?

Bis wann können Sie das Gerät reparieren?

Könnte ich bitte den Reparaturservice sprechen? ... funktioniert nicht / ist kaputt.

Ein ... Ich habe noch ... Monate Garantie.

Können Sie bitte bis heute Abend warten?

Kommen Sie in einer Stunde wieder. Dann ist das Gerät fertig.

Bis morgen. Sie können ... ab ... Uhr abholen.

Wenn Sie noch Fragen haben, rufen Sie einfach noch mal an.

Sie rufen beim Reparaturservice an. Schreiben Sie ein Gespräch.

◇ Guten Tag.
   Mein Name ist ...
● Was kann ich für Sie tun?
◇ Mein ... funktioniert nicht
   ...

UM ETWAS BITTEN: Könnten Sie mir bitte helfen?

Könnten Sie mir bitte helfen?
Könnten Sie mir das bitte zeigen?
Würden Sie bitte heute noch die Rechnung bezahlen?
Würden Sie mir das bitte erklären?

Natürlich. / Ja, gern.
Nein, das geht leider gerade nicht. Ich muss erst ...
Nichts zu danken.

AUF DIE MAILBOX SPRECHEN: Hier ist Oliver Schmitz.

Hier spricht/ist ...
Bitte rufen Sie zurück unter ...
Bitte rufen Sie uns/mich an.
Meine Nummer ist ...
Vielen Dank und auf Wiederhören!

Bitten Sie ...
... Ihre Lehrerin:
Würden Sie mir das bitte erklären?
... Ihren Chef:

... Ihren Arzt:

... einen Verkäufer:

Sie möchten noch mehr üben?

4 | 45–4/
AUDIO-
TRAINING

VIDEO-
TRAINING

Lernziele

Ich kann jetzt ...

A ... Tagesabläufe beschreiben:
   Vor der Mittagspause mache ich Reparaturen. _____ ☺ ☻ ☹
B ... Zeitangaben machen:
   in einer Woche; ab heute; bis morgen _____ ☺ ☻ ☹
C ... im Alltag höflich um etwas bitten:
   Könnten Sie mir helfen? Würden Sie bitte ...? _____ ☺ ☻ ☹
D ... Nachrichten und Ansagen am Telefon verstehen und Nachrichten
   hinterlassen: *Hier spricht ... Bitte rufen Sie mich zurück unter ...* _____ ☺ ☻ ☹
E ... Service-Anzeigen verstehen und bei einem Reparaturservice um
   Hilfe bitten: *Könnte ich bitte den Reparaturservice sprechen?* _____ ☺ ☻ ☹

Ich kenne jetzt ...

5 Wörter zum Thema *Reparaturservice*:
die Garantie, ...

5 Wörter zum Thema *Dienstleistung*:
die Übersetzung, ...

Zwischendurch mal ...

Geschäftsideen

Eine Dienstleistung? Ein Laden?
Ein Geschäft? Was kann ich anbieten? ...
Jeder ist anders, jeder kann etwas.
Genau darum geht es in diesem Spiel.

1 Ihre Geschäftsidee. Arbeiten Sie zu dritt.
Was können Sie?
Jede/r schreibt einen Zettel für sich.

> _Mein Name:_ Alfonso Díaz
>
> _Meine Hobbys sind:_
> Fußball spielen, Basketball spielen
>
> _Das kann ich (sehr) gut:_ Computer
> reparieren, Drinks mixen, zuhören
>
> _Meine Geschäftsidee:_
> Bar oder Klub nur für Sportfans

2 Was können die anderen? Was meinen Sie?
Schreiben Sie Zettel für die beiden anderen
in Ihrer Gruppe.

> _Name:_ Tilda; _Hobbys:_ backen, ...
>
> _kann (sehr) gut:_
> mit Menschen sprechen, ...
>
> _Geschäftsidee:_ ...

3 Vergleichen Sie jetzt alle Zettel. Zu wem
passt welche Geschäftsidee am besten?
Entscheiden Sie in der Gruppe.

> _Tilda kann sehr gut backen. Und
> sie spricht gern mit Menschen.
> Sie kann einen Backkurs geben._

Reise durch Deutschland, Österreich und die Schweiz

Sehen Sie den Film und
verbinden Sie die Reiseziele.

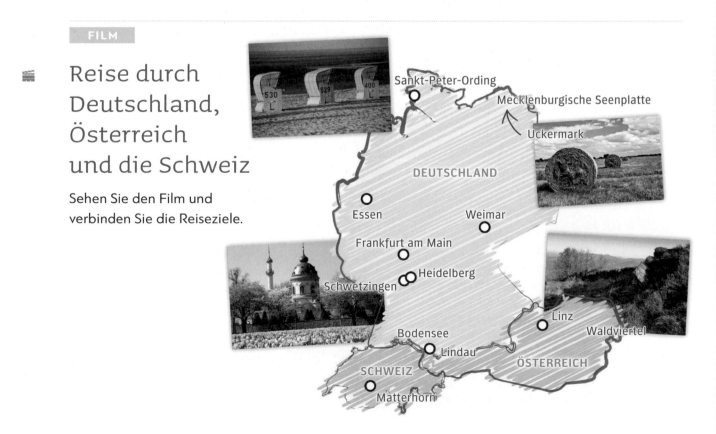

König Ludwig II. und seine Schlösser

1 Kennen Sie das Schloss Neuschwanstein?
Was wissen Sie über das Schloss und König Ludwig II.?
Sprechen Sie im Kurs.

Romantik-Hotel „König Ludwig": Nach dem Ausflug ist vor der Entspannung

Sehen und erleben Sie:

Schloss Hohenschwangau
Hier hat König Ludwig II. als Kind gelebt.

Schloss Neuschwanstein
Es ist DAS Traumschloss von König Ludwig II., ein Märchenschloss.

Wunderschöne Landschaft
Unsere bayerischen Berge: Einmal kommen und sie sehen und nie wieder vergessen!

Und das erwartet Sie:

*Bei Ihrer Ankunft am **Freitagnachmittag** begrüßen wir Sie mit einem Willkommensgetränk und einem Rundgang durch unser Hotel.*

*Am **Samstag** starten wir nach dem Frühstück zum Schloss Neuschwanstein. Nach der Schlossführung bringen wir Sie zu unserem herrlichen privaten Badegelände am Forggensee (mit Picknick). Zurück im Hotel haben Sie vor dem Abendessen dann noch Zeit für ein königliches Bad mit Rosenblüten. Beim romantischen König-Ludwig-Menü bei Kerzenlicht servieren wir Ihnen Spezialitäten aus unserer Küche. Am **Sonntag** steht unser Frühstücksbrunch bis 13 Uhr für Sie bereit.*

Unser Top-Romantik-Ausflugsangebot:
Schloss Neuschwanstein
- zwei Übernachtungen inklusive Frühstück
- zwei Tickets für das Schloss Neuschwanstein
- ein königliches Bad *(mit Rosenblüten)*
- König-Ludwig-Menü *(4 Gänge)*
- privater Badestrand plus Picknick-Paket *(nur bei schönem Wetter)*

€ 190,– pro Person

2 Lesen Sie den Hotel-Prospekt.
  a Was gefällt Ihnen besonders gut? Notieren Sie drei Dinge.
  b Vergleichen Sie im Kurs:
    Wer hat das Gleiche notiert wie Sie?

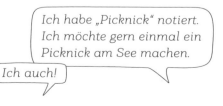

Ich habe „Picknick" notiert. Ich möchte gern einmal ein Picknick am See machen.

Ich auch!

Neue Kleider

Folge 13: Ist das kalt heute!

1 Sehen Sie die Fotos an. Was meinen Sie? Kreuzen Sie an.

a Wem ist kalt?

Foto 1 ○ Lara ○ Tim

Foto 2 ○ Lara ○ Tim ○ Ioanna

b Fotos 3–6 Wo sind Lara, Tim und Ioanna? Was machen sie?

Sie sind in einem ○ Kaufhaus. ○ Supermarkt.

Sie kaufen eine Jacke ▨ für ○ Lara. ○ Tim.

5 ◀)) 1–8 2 Was meinen Sie? Welches Foto passt? Ordnen Sie zu. Hören Sie dann und vergleichen Sie.

Foto

a ○ Ich weiß nicht. Die ist doch zu groß!

b ○ Ist das nicht Tims Jacke? Hast du denn keine?

c ○ Sieh mal, Lara! Die Jacke da! Die ist super!

d ○ ◆ Na, was sagt ihr jetzt? Ist der nicht toll?

○ Ein Mantel. ▨ Na ja, …

Foto

e ○ ◆ Nimm doch so eine Regenjacke.

○ Ist die nicht zu dünn?

f ○ ◆ Was meinst du, Ioanna?

○ Nein, die Farbe passt gar nicht zu dir.

g ○ Ist das kalt heute Morgen!

h ○ Wo bleibt Lara eigentlich?

5 ◀)) 1–8 **3 Lesen Sie und ergänzen Sie. Hören Sie dann noch einmal und vergleichen Sie.**

Lara, Tim und Ioanna fahren am _____ in die Stadt.
Sie wollen eine _____ für Lara _____ .
Ioanna findet eine Jacke für Lara. Lara sagt: Die Jacke ist zu *weit* !
Auch Tim findet eine Jacke für Lara. Aber Lara findet die Jacke
nicht schön. Zum Schluss kauft Lara allein
einen blauen _____ .

Laras Film

4 Ihr Lieblingskleidungsstück
Zeigen Sie ein Foto. Sprechen Sie mit Ihrer Partnerin / Ihrem Partner.

◆ Das ist meine Lieblingsjacke.
○ Sie sieht toll aus. Die Farbe ist schön!

A1 Laras Kleidung
Wie heißen die Kleidungsstücke? Ordnen Sie zu.

- ① • die Bluse
- ◯ • das T-Shirt
- ◯ • die Hose
- ◯ • der Mantel
- ◯ • die Stiefel
- ◯ • der Pullover
- ◯ •/• die Jeans
- ◯ • das Tuch

- ◯ • die Jacke
- ◯ • die Schuhe
- ◯ • der Rock
- ◯ • das Kleid
- ◯ • der Gürtel
- ◯ • die Socke /
- • der Strumpf

5 ◀)) 9–10 **A2 Lara beim Einkaufen. Hören Sie und ergänzen Sie.**

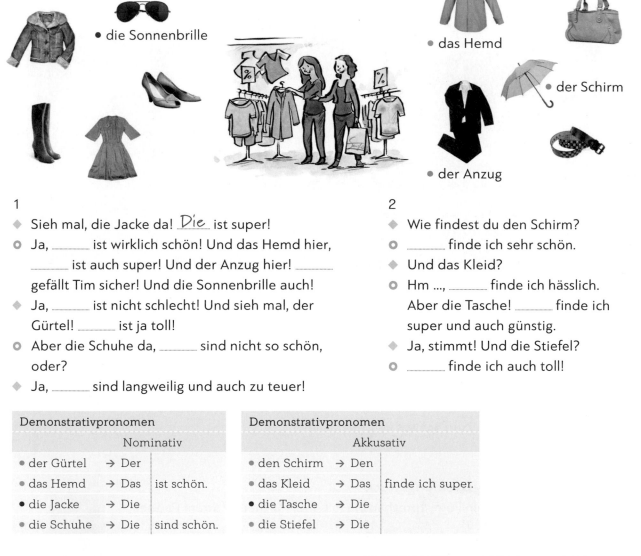

- • die Sonnenbrille
- • das Hemd
- • der Schirm
- • der Anzug

1

◆ Sieh mal, die Jacke da! *Die* ist super!

○ Ja, ... ist wirklich schön! Und das Hemd hier, ... ist auch super! Und der Anzug hier! .... gefällt Tim sicher! Und die Sonnenbrille auch!

◆ Ja, ... ist nicht schlecht! Und sieh mal, der Gürtel! .... ist ja toll!

○ Aber die Schuhe da, ... sind nicht so schön, oder?

◆ Ja, ... sind langweilig und auch zu teuer!

2

◆ Wie findest du den Schirm?

○ .... finde ich sehr schön.

◆ Und das Kleid?

○ Hm ..., ... finde ich hässlich. Aber die Tasche! .... finde ich super und auch günstig.

◆ Ja, stimmt! Und die Stiefel?

○ .... finde ich auch toll!

Demonstrativpronomen		
	Nominativ	
• der Gürtel	→ Der	
• das Hemd	→ Das	ist schön.
• die Jacke	→ Die	
• die Schuhe	→ Die	sind schön.

Demonstrativpronomen		
	Akkusativ	
• den Schirm	→ Den	
• das Kleid	→ Das	finde ich super.
• die Tasche	→ Die	
• die Stiefel	→ Die	

⇆ **A3 Wie finden Sie das? Sehen Sie die Fotos in A2 an und sprechen Sie.**

Wie findest du den Anzug?

Den finde ich sehr schön. Und sieh mal ...

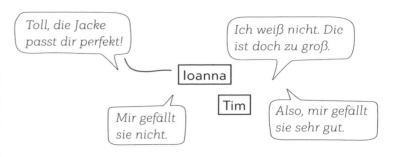

5 ◄)) 11 B1 Was sagt Ioanna, was sagt Tim?
Verbinden Sie. Hören Sie dann und
vergleichen Sie.

> *Toll, die Jacke passt dir perfekt!*

> *Ich weiß nicht. Die ist doch zu groß.*

Ioanna

Tim

> *Mir gefällt sie nicht.*

> *Also, mir gefällt sie sehr gut.*

5 ◄)) 12–13 B2 Wie gefällt dir ...?

a Hören Sie. Worüber sprechen die
beiden Frauen? Kreuzen Sie an.

Susanne   Jan

Verben mit Dativ und Personalpronomen	
	Dativ
	mir.
	dir.
• Die Jacke gefällt/passt	ihm/ihr.
• Die Jacken gefallen/passen	uns.
	euch.
	ihnen/Ihnen.

Sie sprechen über ...
1 Susannes ○ T-Shirt. ○ Haare. ○ Stiefel. ○ Brille. ○ Rock.
2 Jans ○ Mantel. ○ Hemd. ○ Hose. ○ Schuhe.

b Ergänzen Sie. Hören Sie dann noch einmal und vergleichen Sie.

ihr ~~dir~~ Mir ihm dir ihm

1
◆ Hast du Susannes Haare gesehen? Also, mir gefallen die nicht so gut, und _dir_ ?
○ _____ gefallen die auch nicht. Aber die Brille sieht toll aus. Die steht _____ richtig gut!
◆ Ich weiß nicht. Die ist doch viel zu groß!

2
◆ Wie gefällt _____ denn Jans Mantel?
○ Super! Der steht _____ richtig gut! Und wie findest du die Hose?
◆ Hm, die passt _____ nicht richtig, finde ich.

⇄ B3 Im Kurs: Machen Sie Komplimente.

> *Mir gefällt Ihr Pullover. Der steht Ihnen sehr gut!*

> *Deine Schuhe gefallen mir sehr gut. Die Farbe ist auch sehr schön!*

> *Oh, danke!*

> Der Pullover / Das Hemd / Die Hose steht/passt dir/Ihnen sehr gut.
> Die Schuhe gefallen mir sehr gut.

B4 Sprechen Sie.

a Was wissen Sie über Deutschland? Sammeln Sie und machen Sie eine Mindmap.

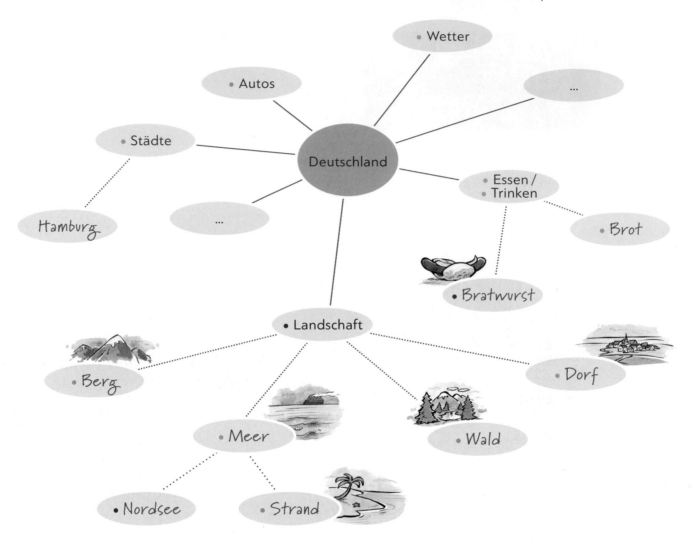

b Was gefällt Ihnen (nicht)? Was schmeckt Ihnen (nicht)? Sprechen Sie über Ihre Mindmap.

1
◆ Hamburg gefällt mir nicht. Und dir?
○ Mir auch nicht. Da ist es so kalt.
▲ Mir schon. Mir gefallen das Meer und der Hafen.
▢ Ich war noch nie in Hamburg.

2
◆ Also, Bratwurst schmeckt mir nicht.
○ Mir schon. Die ist doch lecker.
▲ Ich habe noch nie Bratwurst gegessen.

> Mir gefällt/schmeckt … Und dir/Ihnen? | Mir auch. / Mir nicht.
> Mir gefallen/schmecken … | Ich war noch nie … / habe noch nie …
> Mir gefällt/schmeckt … nicht. | Mir schon. / Mir auch nicht.

SCHON FERTIG?
Was ist Ihre Lieblingsstadt? Schreiben Sie einen Text.

5 ◀) 14 **C1 Ergänzen Sie. Hören Sie dann und vergleichen Sie.**

am besten ~~gut~~ besser

◆ Wir haben super Jacken gefunden.
○ Ja, genau!
◆ Hier, die ist doch richtig _gut_, oder?
○ Und hier, die ist noch _____.
▲ Ja, das kann schon sein. Aber mein
  Mantel, der steht mir _____!

Positiv	Komparativ	Superlativ
☺	☺☺	☺☺☺
gut	besser	am besten

C2 Kleidung – im Beruf und in der Freizeit

a Sehen Sie die Fotos an.
Welche Arbeitskleidung gefällt Ihnen (nicht so) gut?

> Mir gefällt Carolas Arbeits-
> kleidung gut. Der Rock steht
> ihr gut, aber die Farbe …

b Lesen Sie und ergänzen Sie.

Ich heiße Carola Peters und bin Stewardess von Beruf. Zu meiner Uniform gehören zwei Röcke und eine Hose und es gibt auch noch ein Kleid. Das Kleid ziehe ich nicht so gern an. Ich mag die Röcke lieber. Am liebsten trage ich aber die Hose. In meiner Freizeit ist mir Mode sehr wichtig. Meine Kleidung kaufe ich gern im Ausland. In New York sind die Kleidergeschäfte am besten.

Carola Peters

Mein Name ist José Faria Duarte, ich bin Model von Beruf. Bei der Arbeit trage ich immer Designer-kleidung. Die ist wirklich wun-derschön und ich trage sie gern. Aber in meiner Freizeit trage ich lieber Jeans. Zu Hause trage ich am liebsten meine Jogginghose. Ich bin in meiner Freizeit gern zu Hause. Dann lese ich viel und telefoniere noch mehr. Am meis-ten sehe ich aber fern: Ich liebe Filmabende, am liebsten zusam-men mit Freunden.

José Faria
Duarte

1 Was trägt Carola
nicht so gern?   lieber?   am liebsten?
das Kleid   _____   _____

2 Was trägt José
gern?   lieber?   am liebsten?
_____   _____   _____

3 Was macht José
viel?   mehr?   am meisten?
_____   _____   _____

Positiv	Komparativ	Superlativ
☺	☺☺	☺☺☺
gern	lieber	am liebsten
viel	mehr	am meisten

🔁 **C3 Wer ist das?**

Notieren Sie auf einen Zettel: Was essen Sie gern/lieber/…?
Was können Sie gut/besser…? Was machen Sie in der
Freizeit viel/mehr/…? Sammeln Sie die Zettel und lesen Sie
sie vor. Die anderen raten: Wer ist das?

> Ich esse gern Würstchen.
> Aber noch lieber esse ich
> Pommes frites. Am liebsten
> esse ich Spaghetti.

D Welche meinst du? – Na, diese.

D1 Was sagen Ioanna und Tim? Hören Sie und ordnen Sie das Gespräch.

○ ◆ Soll das ein Witz sein? Die ist ja total langweilig.
○ ○ Na, diese.
○ ◆ Welche denn? Welche meinst du?
① ○ Da, sieh mal! Die Jacke gefällt ihr sicher.

Frageartikel und Demonstrativpronomen		
Nominativ		
● Welcher Mantel		Dieser.
● Welches Hemd	gefällt dir/ihr/...?	Dieses.
● Welche Jacke		Diese.
● Welche Schuhe	gefallen	Diese.

D2 Was gehört wem?

a Sehen Sie die Fotos an, zeigen Sie und
sprechen Sie mit Ihrer Partnerin / Ihrem Partner.

Anika, 21,
studiert Wirtschaft

Mario, 25,
Kindergärtner

Malte, 27,
Sportlehrer

Raha, 23,
studiert Physik

◆ Was meinst du: Welcher Koffer gehört Mario?
○ Ich glaube, dieser da.
Und wem gehört dieser Koffer?
◆ Ich denke, dieser hier gehört Anika.
○ Nein, das glaube ich nicht.
Dieser hier gehört ihr.

b Welche Sachen in a finden Sie schön?

◆ Welchen Koffer findest du schön?
○ Diesen hier. Und du?
◆ Ich finde diesen hier toll.

Frageartikel und Demonstrativpronomen		
Akkusativ		
● Welchen Koffer		Diesen.
● Welches Fahrrad		Dieses.
● Welche Tasche	findest du schön?	Diese.
● Welche Schuhe		Diese.

⇆ **D3 Schreiben Sie fünf Fragen und fragen Sie Ihre Partnerin / Ihren Partner.**

ich	mag
du	magst
er/sie	mag

Welchen Wochentag magst du am liebsten?
Welches Buch magst du am liebsten?
Welche Musik magst du gern?
Welcher Film gefällt dir? ...

E1 Viele Fragen an der Information: *Entschuldigung, wo gibt es ...?*

Wesergalerie		
UNTERGESCHOSS AUSGANG U-BAHN	**ERDGESCHOSS**	**OBERGESCHOSS**
Sport	Drogerie / Kosmetik	Herrenmode
Fahrräder	Uhren und Schmuck	Kindermode
Elektrogeräte	Bücher/Zeitschriften/ Schreibwaren	Damen-, Herren- und Kinderschuhe
Lampen	Taschen	Spielwaren
Glas und Geschirr	Damenmode	Bad & Wellness
Bettwaren	Young Fashion Damen	Eingang Weser-Restaurant

a Was antwortet die Frau an der Information? Notieren Sie Antworten.

1 Entschuldigen Sie bitte, ich suche Stiefel. Wo gibt es die?
Wissen Sie das vielleicht?

2 Entschuldigung. Ich brauche Papier für meinen Drucker.

3 Ich möchte ein Spiel für meine Tochter kaufen.
Wo finde ich das?

4 Wo gibt es Fußbälle? Wissen Sie das?

5 Ich finde die Kinderkleidung nicht.

1 Da müssen Sie ins Obergeschoss gehen.

Da müssen Sie ins Obergeschoss/... gehen.
Das/Die finden Sie / sind / gibt es im ...

b Was brauchen Sie und wo finden Sie das? Sprechen Sie mit Ihrer Partnerin / Ihrem Partner.

◆ Ich brauche eine Bluse. Wo gibt es denn hier Blusen? Weißt du das?

○ Ja, im Erdgeschoss. Ich muss auch noch Seife, eine Zahnbürste und Zahnpasta kaufen.
Wo finde ich die? ...

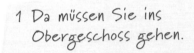

5 ◀) 16 **E2 Lesen Sie und hören Sie dann. Welche Fragen stellt der Kunde? Markieren Sie.**

Entschuldigung, können Sie mir bitte helfen?	Ist diese Hose nicht zu klein?
Haben Sie die Hose auch in Größe 52?	Welchen Pullover soll ich anziehen?
Haben Sie den Pullover auch in Rot?	Ist die Größe so richtig?
Was kostet denn dieser Pullover?	Wo ist denn die Kasse, bitte?

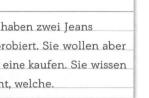

⇆ **E3 Was sagen Sie im Kaufhaus? Hilfe finden Sie in E2.**

Sie haben eine Jacke anprobiert. Sie ist blau. Sie mögen Grün lieber.

Sie haben einen Mantel in Größe M anprobiert. Der ist zu klein.

Sie haben zwei Jeans anprobiert. Sie wollen aber nur eine kaufen. Sie wissen nicht, welche.

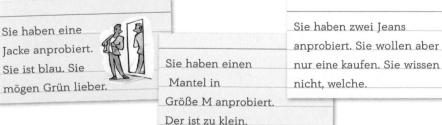

 zu klein

 zu groß

Grammatik und Kommunikation

Grammatik

1 Demonstrativpronomen: *der, das, die* ÜG 3.04

	Nominativ		Akkusativ	
• der Gürtel	Der		Den	
• das Hemd	Das	ist schön.	Das	finde ich super.
• die Jacke	Die		Die	
• die Schuhe	Die	sind schön.	Die	

2 Frageartikel: *welcher?* – Demonstrativpronomen: *dieser* ÜG 3.04

Nominativ		Akkusativ	
• Welcher Mantel ...?	Dieser.	• Welchen Mantel ...?	Diesen.
• Welches Hemd ...?	Dieses.	• Welches Hemd ...?	Dieses.
• Welche Jacke ...?	Diese.	• Welche Jacke ...?	Diese.
• Welche Schuhe ...?	Diese.	• Welche Schuhe ...?	Diese.

3 Personalpronomen im Dativ ÜG 3.01

Nominativ	Dativ	Nominativ	Dativ
ich	mir	wir	uns
du	dir	ihr	euch
er/es	ihm	sie/Sie	ihnen/Ihnen
sie	ihr		

4 Verben mit Dativ ÜG 5.21

Der Mantel	gefällt	mir.
Das Hemd	steht	dir.

auch so: gehören, passen, schmecken

5 Komparation: *gut, gern, viel* ÜG 4.04

Positiv ☺	Komparativ ☺☺	Superlativ ☺☺☺
gut	besser	am besten
gern	lieber	am liebsten
viel	mehr	am meisten

6 Verb: Konjugation *mögen*

ich	**mag**	wir	mögen
du	magst	ihr	mögt
er/es/sie	**mag**	sie/Sie	mögen

Hm, der sieht langweilig aus. Der gefällt mir auch nicht. Soll ich diesen nehmen? Oder lieber den?

Schreiben Sie Antworten wie im Beispiel.

a Gehört euch die Tasche?
b Gefällt euch das Fahrrad?
c Schmeckt dir der Käse?
d Steht mir das Kleid?
e Gefällt Eva der Schirm?
f Schmeckt Jakob die Bratwurst?

a Ja, die gehört uns.

TiPP

Lernen Sie diese fünf Verben mit Dativ auswendig:
gefallen – gehören – passen – stehen – schmecken

Schreiben Sie.
Wer in Ihrer Familie / von Ihren Freunden isst viel, wer mehr, wer am meisten?

Meine Mutter isst nicht viel, aber mein Vater! Noch mehr isst mein Bruder. Und am meisten esse ich ☺!

Kommunikation

ETWAS BEWERTEN: Die Jacke passt dir perfekt.

Die Jacke ist (sehr) schön / super / toll / (sehr) günstig / nicht schlecht.
Die Schuhe sind (total) hässlich / langweilig / nicht (so) schön / (zu) teuer / ...
Der Pullover gefällt / passt / steht mir / dir / Ihnen / ... (richtig) gut.
Die Schuhe / ... gefallen / passen / ... mir / dir / Ihnen / ... sehr gut.

VORLIEBEN: Mir gefällt das Hemd.

Mir gefällt / schmeckt ... (nicht) | Mir gefallen / schmecken ...
Mir gefällt / Ich finde ... gut / besser / am besten.
Ich mag / esse ... gern / lieber / am liebsten.

Und dir / Ihnen? *Mir auch. / Mir nicht.*
  Mir schon. / Mir auch nicht.

Wie findest du den / das / die ...? *Den / Das / Die finde ich ...*
Wie gefällt dir ...?
Ja, stimmt.

Welchen Koffer / Welches *Diesen. / Dieses. / Diese.*
Fahrrad / Welche Tasche findest
du schön?

AN DER INFORMATION: Entschuldigen Sie bitte, ich suche Stiefel.

Entschuldigen Sie bitte, ich suche Stiefel. Wo gibt es die?
Wissen Sie das vielleicht? | Wo finde ich ...? | Ich finde ... nicht.
Da müssen Sie ins Obergeschoss / ... gehen. | Die finden Sie / sind / gibt es im ...

KLEIDUNG KAUFEN: Haben Sie die Hose auch in Größe 52?

Ist diese Hose nicht (viel) zu klein / zu lang / ...? | Haben Sie den Pullover / die Hose auch in Größe ... / in Rot? | Ist die Größe so richtig? | Was kostet denn ...? | Wo ist denn die Kasse, bitte?

Suchen Sie Fotos oder Bilder in den Lektionen. Wie finden Sie die Sachen / Leute? Schreiben Sie.

Das Meer finde ich toll!

_____

_____

_____

_____

Sie möchten noch mehr uben?

5 | 17–19
AUDIO-TRAINING

VIDEO-TRAINING

Lernziele

Ich kann jetzt ...

A ... Kleidungsstücke benennen und sagen: Das gefällt mir (nicht):
  Die Jacke da! Die ist super! _____ 🙂 😐 🙁

B ... sagen: Das gefällt / schmeckt mir (nicht):
  Deine Schuhe gefallen mir sehr gut. _____ 🙂 😐 🙁

C ... über Vorlieben sprechen und etwas bewerten:
  Am liebsten trage ich die Hose. _____ 🙂 😐 🙁

D ... Gegenstände auswählen:
  Welchen Koffer findest du schön? – Diesen hier. _____ 🙂 😐 🙁

E ... mich im Kaufhaus orientieren und um Hilfe oder Rat bitten:
  Entschuldigen Sie bitte, ich suche Stiefel. Wo gibt es die? _____ 🙂 😐 🙁

Ich kenne jetzt ...

10 Kleidungsstücke:

der Mantel, ...

_____

_____

5 Gegenstände:

der Schirm, ...

_____

HÖREN

Männer
mögen Mode

A   B   C   D

5 ◀)) 20–23   **1** Über wen sprechen die beiden Frauen?
Hören Sie und ordnen Sie zu.

Gespräch	1	2	3	4
Mann	D			

2 Männermode: Welches Model bekommt in Ihrem Kurs die meisten Punkte?
Jeder darf einen Plus- und einen Minuspunkt vergeben.

	Model A	Model B	Model C	Model D
Pluspunkte	⧼⧽⧼⧽			
Minuspunkte	IIII			
Endergebnis	+1			

SPIEL

Ich packe meinen Koffer ...

Kettenspiel: Was nehmen Sie in den Urlaub mit?
Sprechen Sie der Reihe nach.

Ich nehme einen Rock mit.

Ich nehme einen Rock und eine Sonnenbrille mit.

Ich nehme einen Rock, eine Sonnenbrille und einen/ein/eine ... mit.

GEDICHT

„Elfchengedichte"

STILL
DAS FEUERZEUG
WARTET UND WARTET
ICH HABE ES GESCHAFFT
NICHTRAUCHER!

Kaputt
Die Brille
Auf dem Boden
Ich bin schon unterwegs
Optiker

ALT
DIE SCHUHE
....
....
....

Lesen Sie die „Elfchengedichte". Schreiben Sie dann selbst zwei Gedichte.
So schreibt man „Elfchengedichte":

1. Zeile (1 Wort): ....
2. Zeile (2 Wörter): ....
3. Zeile (3 Wörter): ....
4. Zeile (4 Wörter): ....
5. Zeile (1 Wort): ....

Feste

1 Sehen Sie die Fotos an.

a Was meinen Sie? Sprechen Sie.

– Wer hat Geburtstag?
– Wer schenkt die Hausschuhe?
– Wer schenkt den Hula-Hoop-Reifen?

– Foto 5 Warum sehen alle traurig aus?
– Foto 7 Was erzählt Tim?

5 ◀)) 24–31 **b** Hören Sie dann und vergleichen Sie.

5 ◀)) 28–31 ## 2 Was ist richtig? Hören Sie noch einmal und kreuzen Sie an.

a Die Freunde feiern heute nicht nur Geburtstag. Sie feiern auch
○ Abschied: Lara und Tim fahren bald nach Hause.   ○ Sofias neue Arbeitsstelle.

b Für Walter ist Lara wie eine   ○ Schwester.   ○ Tochter.

c Tim   ○ beginnt eine Ausbildung in Kanada.   ○ arbeitet bald in einem Hotel in Deutschland.

3 Geburtstagswünsche. Was sagt man? Markieren Sie.

Ich wünsche dir viel Glück und Freude!   Vielen Dank.

Alles Liebe/Gute zum Geburtstag!   Ich wünsche dir vor allem Gesundheit.   Gute Besserung.

Alles Gute!   Gut gemacht!   Herzlichen Glückwunsch!   (Ich) Gratuliere!

Laras Film

4 Ende gut, alles gut
Was machen Sie nach dem Deutschkurs? Wissen Sie das schon? Erzählen Sie.

Ich mache noch einen Deutschkurs.

Ich mache eine Pause und besuche Freunde in der Schweiz.

A Am **fünfzehnten** Januar fange ich an.

A1 Was ist richtig? Verbinden Sie. Hören Sie dann und vergleichen Sie.

a Heute
b Nächste Woche
c Am dreißigsten November
d Am fünfzehnten Januar

fängt Tim mit der Arbeit an.
ist Walters Geburtstag.
endet der Deutschkurs.
fährt Lara nach Hause.

Wann? (Ordinalzahlen)		
1.–19.	**-ten**: am ersten, zweiten, dritten, vierten, fünften, sechsten, siebten ...	Januar
ab 20.	**-sten**: am zwanzigsten, einundzwanzigsten ...	Januar

A2 Notieren Sie Ihren Geburtstag und machen Sie eine Geburtstagsschlange.

◆ Wann hast du Geburtstag?
◉ Am 13. März. Und du?
◆ Ich habe am 4. Januar Geburtstag.
◻ Ich bin am 19. Januar geboren.
▲ Und ich habe am 11. Februar Geburtstag.

Januar	Juli
Februar	August
März	September
April	Oktober
Mai	November
Juni	Dezember

A3 Fest- und Feiertage: Lesen Sie die Texte. Was ist richtig? Kreuzen Sie an.

A ○ Am 14. Februar soll man Blumen kaufen.
B ○ Der Karneval dauert bis zum 12. Februar.
C ○ Der erste Mai ist in Deutschland kein Arbeitstag.

der erste, zweite, dritte ... Mai
vom zwölften bis (zum) siebzehnten Februar

Schenken Sie Blumen!

Nicht vergessen:
Am 14. Februar ist
Valentinstag.
Blumenstube Inge

A

Karneval – HIER FINDEN
SIE ALLE INFOS UND VER-
ANSTALTUNGEN ZUR FÜNFTEN
JAHRESZEIT IN MAINZ!
Die letzten sechs Karnevals-
tage sind in diesem Jahr
vom 12. Februar bis zum
17. Februar.

B

UMFRAGE

Der erste Mai heißt auch
„Tag der Arbeit". Aber
wir müssen nicht arbeiten.
Machen Sie mit und
schreiben Sie:
Was machen Sie an
diesem Feiertag?

C

🔁 **A4 Kennen Sie den Valentinstag, den Karneval oder den ersten Mai? Was machen Sie dann? Erzählen Sie.**

Ich mag den Valentinstag. Ich schreibe dann immer Grußkarten an meine Freunde.

5 ◀)) 33–34 **B1 Hören Sie und ordnen Sie zu.**

uns   mich   ~~dich~~   dich

1
◆ Ich habe _dich_ sehr lieb, Opa.
○ Ich _____ auch.

2
○ Für _____ gehörst du nun zur Familie.
  Du bist wie eine zweite Tochter für _____.
▲ Ach, Walter, das ist so lieb.

Lili: „Ich habe dich sehr lieb, Opa."

Personalpronomen	Akkusativ
ich	mich
du	dich
er/es/sie	ihn/es/sie
wir	uns
ihr	euch
sie/Sie	sie/Sie

für mich
für dich

B2 Ergänzen Sie die Nachrichten.

1
Du, Andrej hat morgen Geburtstag.
Wir brauchen ein Geschenk für _____.
Hast du eine Idee?

Er liest gern. Wir können
ein Buch kaufen.

Okay. Kaufst du _____?

Ja, gut.

Danke, Ich liebe _____. ♥

2
Hallo Rike, wann besuchst du _____
mal wieder?

Hallo Mama, hallo Papa, ich besuche
_____ am Sonntag. Okay?

Prima. Deine Schwester kommt auch.

Wirklich? Wunderbar! Ich habe _____
schon seit Wochen nicht gesehen.

B3 Alles schon erledigt! Spielen Sie Gespräche.

◆ Du, ich muss noch den Tisch decken.
○ Ich habe ihn schon gedeckt.
◆ Oh, super! Aber wir müssen noch ...

• die Getränke kaufen   • die Pizza backen   • den Salat machen
• den Nachtisch machen 🍮   • das Bad putzen 🧹   ...

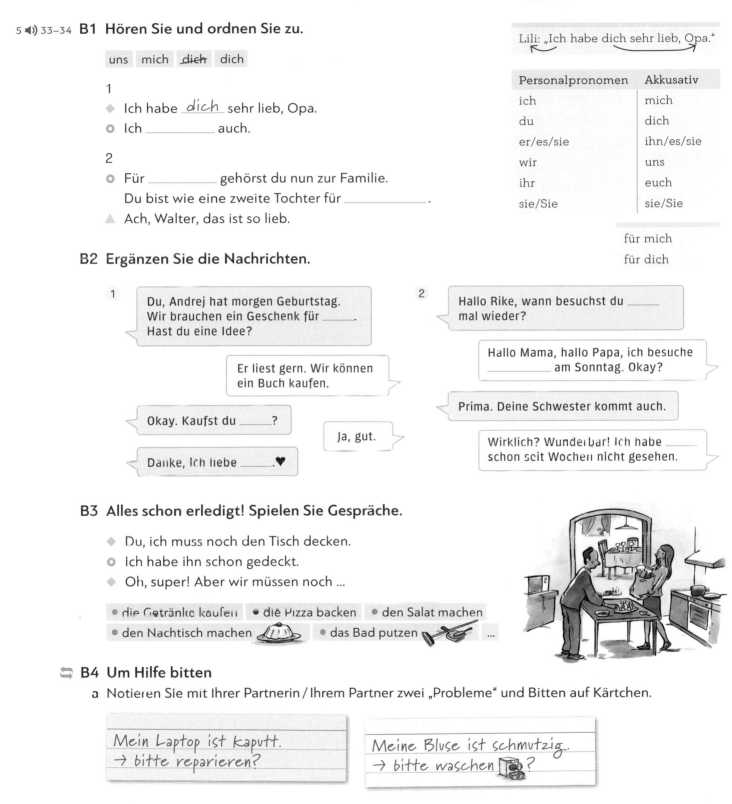

⇆ **B4 Um Hilfe bitten**

a Notieren Sie mit Ihrer Partnerin / Ihrem Partner zwei „Probleme" und Bitten auf Kärtchen.

Mein Laptop ist kaputt.
→ bitte reparieren?

Meine Bluse ist schmutzig.
→ bitte waschen 🧺?

b Nehmen Sie ein Kärtchen. Gehen Sie im Kursraum herum.
Bitten Sie um Hilfe. Tauschen Sie dann Ihr Kärtchen.
Suchen Sie eine neue Partnerin / einen neuen Partner.

Mein Laptop ist kaputt.
Kannst du ihn
bitte reparieren?

Nein, leider nicht.
Meine Bluse. ...

5 ◀)) 35 **C1 Was ist richtig? Wissen Sie es noch? Kreuzen Sie an.**
Hören Sie dann und vergleichen Sie.

a Familie Baumann, Lara und Tim feiern Abschied,
  ○ denn Lara und Tim fahren nach dem Deutschkurs nach Hause.
  ○ denn Lara muss ihre kranke Großmutter besuchen.

b Tim kommt bald zurück nach Deutschland,
  ○ denn er beginnt eine Ausbildung.
  ○ denn er hat eine Stelle gefunden.

Konjunktion *denn*
Sie feiern Abschied. Lara und Tim fahren nach Hause.
Sie feiern Abschied, denn Lara und Tim fahren nach Hause.

C2 Lara und Tim organisieren eine Abschiedsfeier.

a Wer kommt?
Kreuzen Sie an.

  ○ Ioanna
  ○ Frau Richter
  ○ Eduardo
  ○ Sibel
  ○ Pawel

Liebe Kurskolleginnen und Kurskollegen, liebe Frau Richter!
Nächste Woche endet der Deutschkurs. Wir möchten das gern zusammen mit Euch feiern. Und zwar am Freitag, 28. November, ab 18.30 Uhr in der Park-Bar.
Gebt bitte Bescheid bis 25. November.
Lara und Tim

Ioanna: Super Idee. Ich komme gern!

Maria Richter: Liebe Lara, lieber Tim! Vielen Dank für die Einladung. Leider kann ich nicht kommen, denn ich habe am Abend noch einen Kurs.

Eduardo: Ich kann leider nicht mitkommen.
Mein Flug nach Hause geht schon am Freitagmittag. Schade!

Sibel: Tut mir leid, aber ich habe keine Zeit.
Ich bin Ärztin in einem Krankenhaus und am Freitag muss ich arbeiten.

Pawel: Danke für die Einladung! Ich bin dabei.
Bis morgen im Kurs.

b Warum kommen die Personen nicht? Markieren Sie in a und schreiben Sie.

1 _Frau Richter_ kommt nicht, denn sie _____ .
2 _____ kommt nicht, denn sein _____ .
3 _____ kommt nicht, denn sie _____ .

⇆ **C3 Warum können Sie nicht zur Abschiedsfeier kommen?**
Überlegen Sie einen Grund und schreiben Sie eine Nachricht an Lara und Tim.
Tauschen Sie die Nachricht dann mit Ihrer Partnerin / Ihrem Partner. Sie/Er korrigiert.

D1 Lesen Sie und ordnen Sie zu.

○ Weihnachtsfeier   Ⓐ Geburtstag   ○ Grillfest

A

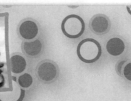

Liebe Vanessa,

am Donnerstag werde ich **30!**
Das müssen wir feiern.
Ich lade Dich zu meiner Party ein.

Kannst Du kommen?
Ich würde mich freuen.
Viele Grüße
    Lisa

Wann: Samstag,
19. August, ab 19 Uhr

Wo: Bei mir zu Hause

Mitbringen:
gute Laune

ich	werde	
du	wirst	30
er/sie	wird	

B

Liebe Freunde,
    liebe Nachbarn,

es ist Sommer und wir eröffnen
die Grillsaison!
Wir laden Euch herzlich zu
unserem Grillfest ein:
am Samstag, 1. Juni, 17.00 Uhr
in unserem Garten

Lasst uns bitte wissen: Wer bringt
Fleisch, Würstchen oder einen Salat
mit? Für Getränke sorgen wir
Bitte gebt bis 25. Mai Bescheid.
Wir freuen uns auf Euch!

Viele Grüße

Saskia und Patrick

C

| E-Mail senden |

Liebe Mitarbeiterinnen und Mitarbeiter,
auch dieses Jahr möchten wir wieder mit Ihnen
Weihnachten feiern: am 12. Dezember um 16.00 Uhr im
Restaurant Lindenhof.
Wir freuen uns auf Ihr Kommen. Bitte melden Sie sich bis
1. Dezember an (sekretariat@wohlleben.de).

Mit freundlichen Grüßen
Gerhard Hintermayr

D2 Laden Sie eine Freundin / einen Freund ein. Schreiben Sie eine Einladung.

Nennen Sie den Grund für die Einladung, das Datum,
den Ort und die Uhrzeit. Bitten Sie um Antwort.

einladen

zu einer / zur • Party
zu einem / zum • Geburtstag
                • Grillfest

Anrede	→	Liebe/Lieber …,
Einladung	→	Ich habe Geburtstag. / Am … werde ich … (Jahre alt). / Ich möchte meinen Geburtstag feiern / ein Grillfest machen / … und lade Dich dazu ein. / Ich lade Dich zu meiner Geburtstagsparty / zu meinem Geburtstag / zu einem Grillfest / … ein.
Zeit/Ort	→	Wann: … / Wo: …
Frage/Bitte	→	Kommst Du? / Kannst Du kommen? Ich würde mich freuen. Bitte antworte bis … / Bitte gib bis … Bescheid.
Gruß + Name/Unterschrift	→	Viele/Herzliche Grüße

E Feste und Glückwünsche

E1 Was passt zu den Festen?
Ordnen Sie zu.

A

• das Feuerwerk

B

• der Weihnachtsmann

E

• der Weihnachtsbaum

C

• die Ostereier

D

• der Osterhase

	Foto
Ostern	C,
Weihnachten	
Silvester/Neujahr	

E2 Mein Lieblingsfest

a Was ist ihr/sein Lieblingsfest? Lesen Sie die Texte auf Seite 173 und verbinden Sie.

1 Lisa und Ben   Nikolaus
2 Romana   Ostern
3 Laura   Weihnachten

b Lesen Sie noch einmal und korrigieren Sie.

1
a Lisa und Ben mögen Ostern, denn dann beginnt der ~~Winter.~~   *Frühling*
b Sie verstecken Ostereier.
c Am Mittag essen sie bei Freunden.

2
a Weihnachten dauert in Österreich vom 24. bis zum 25.12.
b Romana feiert den „Heiligen Abend" mit Freunden.
c Oma legt die Geschenke unter den Baum.

3
a Der Nikolaus kommt am 5. Dezember in die Schule.
b Er schenkt allen Kindern ein Buch und Nüsse.
c Laura stellt ihre Schuhe morgens vor die Haustür.

So feiern wir in D-A-CH

Wir sind beide nicht religiös. Auf Ostern freuen wir uns aber jedes Jahr, denn für uns ist Ostern ein Fest voller Optimismus: Der Winter geht zu Ende, der Frühling
5 kommt, in der Sonne ist es schon richtig warm und die Tage sind nicht mehr so kurz. Ben und ich machen am Ostersonntag immer ein Osterfrühstück mit bunten Ostereiern. Vorher verstecke ich ein
10 Geschenk für Ben und Ben versteckt ein Geschenk für mich. Danach muss jeder sein Geschenk suchen. Der andere darf ihm dabei mit Tipps helfen. Das ist total lustig. Mittags gehen wir zu Bens Eltern.
15 Dort gibt es Lammbraten. Lecker!

Lisa und Ben, Zürich

2

1

In Österreich feiern wir vom 24. bis zum 26. Dezember Weihnachten. Am 24. ist der „Heilige Abend", am 25. der Christtag und am 26. der Stefanitag. Am Heiligen Abend schmücke ich
5 mit den Kindern den Christbaum. Um 17 Uhr kommen meine Eltern und wir essen zusammen. Bei uns gibt es jedes Jahr Bratwürstel mit Sauerkraut und Brot. Um 18 Uhr gehen Oma und Opa mit den Kindern kurz spazieren. Ich
10 lege die Geschenke unter den Baum und zünde die Kerzen an. Dann kommen die anderen zurück, wir wünschen uns „Frohe Weihnachten!", singen Weihnachtslieder und packen die Geschenke aus.

Romana, Linz

Am 6. Dezember kommt der Nikolaus zu uns in die Schule. Sein Mantel ist rot, sein Bart ist weiß und er hat einen Sack und ein Buch. In dem Buch steht alles drin, was wir im letzten Jahr gemacht haben. Das liest der Nikolaus vor und dann bekommt
5 jeder Schokolade, einen Apfel und Nüsse. Bei mir zu Hause kommt der Nikolaus schon vorher, aber nachts, wenn ich schlafe. Am 5. Dezember stelle ich abends meine Schuhe vor die Haustür und am nächsten Morgen sind dann Süßigkeiten drin. Ich glaube aber, das macht der Papa.

Laura, Nürnberg

3

E3 Welche Glückwünsche passen?

Sehen Sie die Karten an und ordnen Sie zu.

A   B   Frohe Ostern   C   D

1 Ⓑ Frohe Ostern!   2 ◯ Wir gratulieren zur Hochzeit.   3 ◯ Frohe Weihnachten!
4 ◯ Ein gutes neues Jahr!

Grammatik und Kommunikation

Grammatik

1 Ordinalzahlen: Datum ÜG 8.01

1.–19. → -te		ab 20. → -ste	
1.	der erste	20.	der zwanzigste
2.	der zweite	21.	der einundzwanzigste
3.	der dritte	...	
4.	der vierte		
5.	der fünfte		
6.	der sechste		
7.	der siebte		
...			

Wann?
Am zweiten Mai.
Vom zweiten bis (zum) zwanzigsten Mai.

Welche drei Tage in Ihrem Leben sind besonders wichtig für Sie? Schreiben Sie.

> Der dreizehnte Juli ist wichtig für mich. Da habe ich meinen Freund kennengelernt. ...

2 Personalpronomen im Akkusativ ÜG 3.01

Nominativ	Akkusativ	Nominativ	Akkusativ
ich	mich	wir	uns
du	dich	ihr	euch
er/es/sie	ihn/es/sie	sie/Sie	sie/Sie

für mich, dich ...

Wer?   Wen oder was?
Ich   **liebe**   dich.

3 Konjunktion: *denn* ÜG 10.04

Sie feiern Abschied. Lara und Tim fahren nach Hause.
Sie feiern Abschied, denn Lara und Tim fahren nach Hause.

Wählen Sie ein Thema und schreiben Sie Sätze mit *denn*. Wie viele Sätze finden Sie in drei Minuten?

> Ich liebe Hunde, denn ... | Mein Lieblings- monat ist der ..., denn ... | Ich liebe die Berge / das Meer, denn ...

4 Verb: Konjugation ÜG 5.16

werden	
ich	werde
du	wirst
er/es/sie	wird
wir	werden
ihr	werdet
sie/Sie	werden

Wie alt wird Ihre Familie in diesem Jahr? Schreiben Sie und rechnen Sie.

Meine Mutter wird _____.
Meine Oma wird _____.

_____

_____

Zusammen werden wir _____ Jahre alt.

Kommunikation

ÜBER JAHRESTAGE SPRECHEN: Ich habe am 4. Januar Geburtstag.

Wann hast du Geburtstag?
Am 13. März. / Ich habe am 4. Januar Geburtstag. /
Ich bin am 19. Januar geboren.

GLÜCKWÜNSCHE: Alles Gute!

Alles Liebe/Gute (zum Geburtstag). | Herzlichen Glückwunsch
(zum Geburtstag/...)! / Gratuliere! | Ich gratuliere / Wir gratulieren
zur Hochzeit. / zur/zum ... | Ich wünsche dir viel Glück und Freude
und Gesundheit. | Frohe Ostern! | Frohe Weihnachten!
(Ein) Gutes neues Jahr!

BRIEFE/E-MAILS SCHREIBEN: Liebe Vanessa!

Liebe/Lieber ..., | Viele/Herzliche Grüße | Mit freundlichen Grüßen

EINLADEN: Ich lade Dich/Sie ein.

Ich habe Geburtstag. | Am ... werde ich ... (Jahre alt). | Ich möchte
meinen Geburtstag feiern und lade Dich/Sie dazu ein. | Ich lade
Dich/Sie zu meiner Geburtstagsparty / zu meinem Geburtstag ein.
Wir möchten ... gern zusammen mit Euch/Ihnen feiern.

Kommst Du / Kommen Sie? | Kannst Du / Können Sie kommen?
Ich würde mich freuen. | Wir freuen uns auf viele Gäste. /
Ihr Kommen.

Bitte antworte bis ... | Bitte gib / geben Sie bis ... Bescheid.
Bitte melden Sie sich bis ... an.

ZU- UND ABSAGEN: Ich kann nicht kommen.

Vielen Dank für die Einladung. | Ich komme gern! | Leider kann ich
nicht kommen. | Ich kann leider nicht (mit-)kommen. | Tut mir leid,
aber ich habe keine Zeit.

> Frohe Weihnachten!

> Weihnachten? Heute ist der 1. April. Es ist Ostern.

> Oje, dann bin ich ja schon wieder zu spät.

Sie machen eine Silvesterparty.
Schreiben Sie eine Einladung.

Liebe Caro,
ich möchte eine
Silvesterparty
machen ...

Sie möchten noch mehr üben?

5 | 36–38 🔊 AUDIO-TRAINING

VIDEO-TRAINING

Lernziele

Ich kann jetzt ...

A ... das (Geburts-)Datum nennen: *Ich habe am 4. Mai Geburtstag.* ____ 😊 😐 ☹
B ... über Personen und Dinge sprechen: *Ich habe dich sehr lieb, Opa.* 😊 😐 ☹
  ... um Hilfe bitten: *Kannst du ihn bitte reparieren?* ____ 😊 😐 ☹
C ... eine Einladung zu- oder absagen und einen Grund nennen:
  Ich komme gern. / Ich kann leider nicht kommen, denn mein Flug
  geht am Freitagmittag. ____ 😊 😐 ☹
D ... Einladungen lesen und schreiben:
  Liebe Vanessa, ich lade Dich zu meiner Party ein. ____ 😊 😐 ☹
E ... Texte zum Thema „Mein Lieblingsfest" verstehen und gratulieren:
  Wir gratulieren zur Hochzeit. ____ 😊 😐 ☹

Ich kenne jetzt ...

5 Wörter zum Thema *Feste*:
Ostern, ...

5 Glückwünsche:
Alles Gute!, ...

SCHREIBEN

Das Lieblingsfest
von **Maija aus Riga**

„In Lettland feiern wir am 23. Juni das Mittsommerfest und am 24. Juni den Johannistag. Beides zusammen heißt bei uns Jāņi.
Wir feiern da den Sommer und die Natur. Am Mittsommertag ist der Tag fast 18 Stunden lang. Wir machen dann große Feuer, und die brennen bis zum Morgen. Man sagt, das bringt Glück und ist gut gegen böse Geister.
Wir singen spezielle Lieder, die Dainas. Natürlich essen und trinken wir auch, zum Beispiel Kümmelkäse und Bier.
Jāņi ist mein Lieblingsfest, denn ich liebe den Sommer und die Sonne."

1 Lesen Sie den Text und ergänzen Sie.

a In welchem Land ist das Fest? ....
b Wann ist das Fest? ....
c Was feiert man? ....
d Was macht man? *Feuer machen, singen, ...*

2 Ihr Lieblingsfest
Machen Sie Notizen und schreiben Sie dann Ihren Text.
Bringen Sie auch ein Foto mit.

Mein Lieblingsfest ist ...
Es ist am ... / im ...
Man feiert ...
Wir singen/tanzen/feiern/essen/schenken/...

Mein Lieblingsfest

Mein Lieblingsfest ist der St. Patrick's Day. Man feiert diesen Tag am 17. März. Wir singen ...

Sprichwort

Lösen Sie das Rätsel und finden Sie ein bekanntes deutsches Sprichwort.

Lösung:
In der Nacht sind alle Katzen grau.

Juhu! Fertig mit A1!

Der A1-Deutschkurs ist nun fast zu Ende. Gemeinsam haben Sie viel gelernt und bald kommt etwas Neues, zum Beispiel der A2-Kurs? Aber vorher wollen Sie sicher noch einmal zusammen auf Ihre „A1-Zeit" zurückschauen. Hier sind zwei Ideen. Wählen Sie eine Idee. Arbeiten Sie zu zweit oder in Gruppen. Haben Sie eigene Ideen? Nur zu! Wir, das „Schritte-Team", sagen „Dankeschön für Ihre Mitarbeit!", wünschen Ihnen viel Spaß und Erfolg beim „Weitermachen".

Idee 1:
Eine Wandzeitung mit Lieblingswörtern von allen Kursteilnehmern
a Sammeln Sie das deutsche Lieblingswort von jedem Kursteilnehmer und machen Sie damit eine Wandzeitung oder eine Computer-Präsentation.
b Stellen Sie das Ergebnis im Kurs vor.

Idee 2:
Eine Präsentation mit Fotos von den Kursteilnehmern
a Sammeln Sie Fotos von allen Kursteilnehmern und machen Sie damit eine Wandzeitung oder eine Computer-Präsentation.
b Stellen Sie das Ergebnis im Kurs vor und ergänzen Sie gemeinsam die Informationen zu den Fotos (Name, Hobbys usw.).

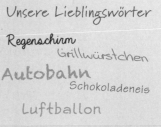

Unsere Lieblingswörter

Regenschirm
Grillwürstchen
Autobahn
Schokoladeneis
Luftballon

Quellenverzeichnis

Kursbuch

Kursbuch